# Théorie

## spo.

# Partie 2

## - Un Livre sur la Pratique -

Avec des exemples d'exercices en QR-Code

## Plongeur ✳ ✳

## Advanced Open Water Diver

Avec inclus :

## SK Orientation Sous-Marine et Direction de Palanquée

# Théorie pour plongeur
# sportif avancé
# Partie 2

## Auteur Karsten Reimer

Traduit de l'allemand par

Francis Collard

et

Frederic Collard

Merci beaucoup, chers Collègues!

Informations bibliographiques de la Bibliothèque nationale allemande:

La Bibliothèque nationale allemande répertorie cette publication dans la Bibliographie nationale allemande; des données bibliographiques détaillées sont disponibles sur Internet à l'adresse http://dnb.dnb.de.

deuxième édition octobre 2020

Toutes les illustrations sont issues du matériel pédagogique actuel de l'Association Internationale de Plongée IDA GbR et / ou avec l'aimable autorisation des entreprises et des titulaires de droits correspondants, ou sont créées par l'auteur lui-même.

Karsten Reimer

Auteur

Production et publication:

BoD – Books on Demand, Norderstedt

ISBN 9783752630107

## Préface

Ce livre ne remplace pas un manuel complet de théorie de la plongée, mais constitue un guide pour acquérir les connaissances théoriques nécessaires à la réussite des examens des différents brevets de plongée énumérés à la première page. C'est pour ainsi dire une "théorie de la plongée sans surcharge"! Pour ceux qui veulent approfondir le sujet, le marché propose de nombreux manuels de qualité, bien plus complets.. Ce livre contient les connaissances supplémentaires nécessaires pour passer les certifications de plongée IDA AOWD (Advanced Open Water Diver), les plongeurs IDA ** et les deux cours spéciaux pour la direction de palanquée et l'orientation sous-marine, et n'est donc pas un manuel pour les débutants. Si vous voulez commencer la plongée, je recommande le manuel IDA :
## Bases – Théorie pour les plongeurs
## Partie 1
et un bon instructeur de plongée, de préférence dans les rangs de IDA

ISBN 9783752629941

Avant de terminer la formation pour devenir plongeur ** dans le système IDA, qui est équivalent au système CMAS Germany, il est nécessaire de suivre les deux cours spéciaux (SK) d'Orientation Sous-marine (boussole) et de Direction de Palanquée. En plus d'un cours de RCP, ces cours sont des conditions préalables pour participer à un cours de plongeur ** chez IDA; par conséquent, ces cours sont également inclus dans ce livre.

Dans ce livre, la dénomination masculine est utilisée pour simplifier l'écriture. Bien sûr, cela ne signifie pas que seuls les hommes sont capables de plonger. Il y a même des voix dans la "monde de la plongée" qui prétendent que les femmes sont meilleures plongeuses.

Compte tenu de la volonté souvent irresponsable de prendre des risques de la part de mes contemporains masculins, c'est une thèse à laquelle je souscrirais pleinement

...Bien que...! ☺

*Les plongeurs sont des hommes qui peuvent vivre et travailler sous l'eau ou dans une atmosphère irrespirable.*
*Les plongeurs sont des hommes d'une grande force musculaire, avec des organes sains. Il n'existe pas d'autre profession qui impose des exigences physiques aussi élevées que la profession de plongeur, et pas seulement à l'occasion. Porter un équipement de près de 100 kg hors de l'eau, mettre en mouvement une telle masse lorsqu'on marche sous l'eau, respirer sous une pression qui change rapidement et, point supplémentaire mais non des moindres, effectuer un travail très pénible avec une alimentation en air pas toujours parfaite, nécessite des muscles athlétiques, des poumons sains, un cœur fort et un bon fonctionnement de tous les organes.*
*Les plongeurs sont des hommes de haute puissance spirituelle, d'intellect et de moralité irréprochable. Ils doivent faire face à des dangers si divers, que les exigences les plus élevées sont imposées à leur présence d'esprit et à leur observation. Faire un travail utile et rapide en plongée est en même temps l'art même du plongeur, et ce qui lui confère une grande valeur. Un sens inébranlable du devoir doit le conduire à fournir la solution la plus rapide et la plus efficace à cette tâche en mobilisant toutes les capacités de son corps et de son esprit.*

*Manuel du Plongeur*
*Hermann Stelzner*
*Directeur et Ingénieur en chef de Drägerwerks*
*Lübeck **1931***

# Contenu

|  |  | Page |
|---|---|---|
| **1.0** | **Pourquoi plonger? Un peu d'Histoire** | 1 |
| 1.1 | Equipement de plongée selon les standard IDA et les EN (Normes Européennes) | 4 |
| 1.2 | Equipement minimum pour plonger en eau libre avec scaphandre | 7 |
| **2.0** | **SK Orientation Sous-Marine** | 29 |
| 2.1 | But du cours | 29 |
| 2.2 | Orientation naturelle | 29 |
| 2.3 | Orientation aux Instruments | 32 |
| 2.3.1 | La Boussole | 35 |
| 2.4 | Le champ magnétique terrestre | 36 |
| 2.5 | Utilisation de la Boussole | 39 |
| 2.6 | Qu'est ce qu'un Relèvement? | 44 |
| 2.7 | Perturbation de la Boussole | 50 |
| 2.8 | Le Relèvement d'un Cap | 52 |
| 2.9 | Les Relèvements croisés | 55 |
| 2.10 | La Dérive | 56 |
| 2.11 | Exemples de parcours | 58 |
| **3.0** | **SK Direction de Planquée** | 61 |
| 3.1 | But du cours | 61 |
| 3.2 | Prérequis | 62 |
| 3.3 | Quels types de Direction de Palanquée y a-t-il? | 63 |
| 3.4 | Planification de la Plongée | 64 |
| 3.5 | Briefing | 68 |
| 3.6 | Contrôle du Compagnon | 69 |
| 3.7 | Tâches de Chef de Palanquée | 82 |
| 3.8 | Débriefing | 84 |
| 3.9 | Erreurs Habituelles | 86 |
| 3.10 | Règles de Sécurité | 89 |
| 3.11 | Exercices Pratiques | 92 |
| 3.12 | Recommandations pour la composition des palanquées | 95 |
| **4.0** | **Advanced Open Water Diver (AOWD)** | 96 |
| 4.1 | But du Cours | 96 |
| 4.2 | Contenu du Cours | 96 |
| 4.3 | Notions de base de Plongée Profonde | 97 |
| 4.4 | Notions de base Flottabilité, Stabilisation, Techniques de Palmage | 103 |

| | | |
|---|---|---|
| 4.5 | Notions de base de Plongée de Nuit | 115 |
| **5.0** | **Plongeur** ⋆⋆ | 125 |
| | | |
| 5.1 | But du Cours | 126 |
| **6.0** | **Physique de la Plongée** | 127 |
| 6.1 | Notions de base | 127 |
| 6.2 | Les 5 lois en Résumé | 132 |
| 6.2.1 | La loi de Henry | 132 |
| 6.2.2 | Le principe d'Archimedes | 134 |
| 6.2.3 | La loi de Boyle & Mariotte | 136 |
| 6.2.4 | La loi de Gay Lussac | 140 |
| 6.2.5 | La loi de Dalton | 145 |
| 6.2.6 | L'effet Joule Thomson | 147 |
| **7.0** | **Acoustique** | 149 |
| 7.1 | Notions de base | 149 |
| **8.0** | **Optique** | 153 |
| 8.1 | Notions de base | 153 |
| **9.0** | **Influence de la Température** | 158 |
| 9.1 | Notions de base | 158 |
| **10.0** | **Médecine de la ¨Plongée** | 162 |
| 10.1 | Les Organes Respiratoires | 162 |
| 10.2 | Le Coeur - Foramen Ovale ou le shunt droit - gauche | 168 |
| 10.3 | Barotraumatisme et lesions respiratoires | 171 |
| 10.3.1 | Barotraumatisme des oreilles | 171 |
| 10.3.2 | Barotraumatisme des poumons | 173 |
| 10.3.3 | Le spasme de la glotte | 184 |
| 10.4 | Empoisonnement des gaz respiratoires | 185 |
| 10.4.1 | Limite de profondeur Air - Azote- | 185 |
| 10.4.2 | Limite de profondeur Air Nitrox - Oxygène - | 187 |
| 10.5 | Essoufflement | 190 |
| 10.6 | Economie en respiration | 193 |
| 10.7 | Les reflexes | 195 |
| 10.8 | Noyade seche et humide | 197 |
| 10.9 | Accident de Décompression | 200 |
| 10.10 | Utilisation des Tables de déco | 208 |
| 10.11 | La Déshydratation | 215 |
| 10.12 | Blessures par la faune aquatique | 220 |
| **11.0** | **Pratique de la Plongée** | 224 |
| 11.1 | Règles de base de la Plongée | 225 |
| 11.2 | La chaîne des secours | 229 |
| 11.3 | Hypo- et Hyperthermie | 237 |
| 11.4 | La nourriture et la plongée | 241 |
| 11.5 | Les drogues et la plongée | 242 |

| | | |
|---|---|---|
| **12.0** | **Les calculs de plongée** | 243 |
| 12.1 | Informations générales sur les  calculs de plongée | 247 |
| 12.2 | Calcul d'une plongée | 250 |
| 13.0 | Protection de l'Environnement | 262 |
| | Rapport d'Accident | 265 |
| | Remerciements | 269 |
| | Qu'est ce qu' IDA | 270 |
| | Annexes | 271 |
| | Glossaire | 272 |
| | Formule d'aptitude médicale à la plongée | 276 |

## 1. Un peu d'Histoire

Il y a de nombreuses raisons à la motivation des gens à aller sous l'eau. Dans un passé lointain, il était certainement essentiel de se procurer de la nourriture sous forme de poisson, de moules ou de mollusques. Une fois que vous êtes rassasié, les autres options de plongée entrent en jeu, à savoir la génération de profits ou la guerre, nous sommes ainsi , les humains !

Ce costume en cuir de porc

conçu vers 1500 par Leonardo da Vinci

pour pouvoir couler la flotte turque

Il n'est pas encore clair à ce jour si

l'alimentation en air par 2 soufflets a

fonctionné, mais on peut en douter.,

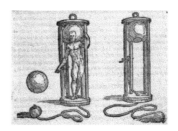

De même on ne sait rien sur

les chances de survie

du plongeur qui utilise cette

cloche de plongée au XVIe siècle

Nous ne nous concentrerons pas nécessairement sur la réalisation de bénéfices par les plongeurs amateurs, mais probablement chacun de nous a "dégagé" un filet ou une bout enroulé sur l'hélice d'un bateau pour une somme modique sous la forme d'une bouteille de vin ou d'un petit don pour la trésorerie du club. D'autre part nous préférons laisser la guerre aux militaires, même si nous leur avons déjà «emprunté» du matériel. Parce que la plongée au nitrox et au recycleur est et était l'apanage des militaires, bien avant que nos Tec-Divers et nos photographes sous-marins ne les découvrent par eux-mêmes. Hormis les plongeurs professionnels, auxquels je compte désormais tous ceux qui pratiquent la plongée dans le cadre d'un métier, la plongée est pratiquée comme un sport exclusivement pour le plaisir plus ou moins privé. Bien sûr, cela ne signifie pas que les plongeurs récréatifs plongent généralement de manière non professionnelle. Il y a des plongeurs amateurs qui pratiquent leur hobby si intensément que la frontière entre le hobby et le travail devient lentement mais sûrement transparente. Au plus tard après avoir terminé la formation IDA *** ou un cours équivalent d'une autre organisation, le plongeur se demande quand même s'il ne devrait pas faire de son hobby un travail à temps partiel ou même à plein temps. Et c'est une bonne chose, dirait probablement M. Wowereit, s'il savait de quoi je parle, parce que les instructeurs de plongée vieillissent, et mettront fin à leur vie professionnelle à un moment ou à un autre. Et donc les jeunes sont nécessaires pour que notre beau passe-temps ne s'éteigne pas, et ne cède pas le pas aux amateurs de l'aventure virtuelle sur PC ou à la console de jeu.

La plongée est un sport qui nous met continuellement au défi physiquement et mentalement, et élargit nos horizons mentaux dans de nombreuses directions différentes. Cela commence avec, par exemple, la plongée en apnée à faible quantité de matériel, passe par la photographie sous-marine avec de nombreux équipements jusqu'à la plongée coûteuse au recycleur. Il y a des cours d'archéologie sous-marine, de biologie en eau douce et en eau salée, de plongée dans des grottes ou des grottes marines et bien plus encore. L'éventail des formations IDA pour les plongeurs loisirs comprend près de 80 cours différents, plus les cours correspondants pour les instructeurs, ainsi que des cours pour les sauveteurs et les instructeurs de premiers secours. Il y a donc quelque chose pour tout le monde.

Comparé aux images d'il y a quelques dizaines d'années, le lecteur remarquera les différences avec l'équipement de plongée d'aujourd'hui. Les deux plongeurs sur la photo ci-dessus se préparent pour une plongée en eau très froide et sur les photos ci-dessous vous pouvez voir ce que les plongeurs professionnels font sous l'eau et de nos jours on peut presque tout faire

## 1.1 Equipement selon les standard IDA et les EN (Normes Européennes)

L'Union européenne a non seulement déterminé le rayon de courbure des bananes et des concombres ou la consommation électrique maximale d'un aspirateur, et a publié des lignes directrices à ce sujet, mais elle a également fait des choses plus utiles (Remarque personnelles de l'auteur et, peut-être déplacée, selon le point de vue). Il n'y a pas seulement des normes pour la composition de l'équipement de plongée, mais aussi des normes pour la formation en plongée (voir page 6).

Le plongeur expérimenté, qui est de loin le niveau de formation le plus représenté en statistique des accidents, sourira certainement au vu de la liste suivante, mais les représentants de l'UE et les experts qui ont dressé cette liste ont certainement pensé à quelque chose.

Bien sûr, il est clair pour tout le monde que les équipements suivants représentent un équipement de plongée complet, mais le diable est dans les détails et donc très proche. Au cours de mes nombreuses années de pratique en tant que plongeur, j'ai plus d'une fois constaté que l'un des membres de ma palanquée avait oublié un élément de son équipement. Au lieu des gants vraiment nécessaires pour plonger dans l'eau froide, on a mis un sac en plastique sur ses mains. Les bottillons étaient toujours à la maison et ils plongeaient donc sans eux, dans les palmes à sangle. Le détendeur s'est mis en débit constant et la plongée a été effectuée sur l'octopus du compagnon. On avait trop peu de plomb et des pierres ont donc été ramassées jusqu'à ce que les poches du gilet éclatent. Et j'ai vécu cette expérience plus d'une fois, même si ce sont souvent mes élèves plongeurs qui ont effectué ces non-sens dangereux. Cela prouve une fois de plus que la meilleure formation n'est d'aucune utilité si la volonté de plonger est trop forte et l'emporte sur la raison.

Je pourrais maintenant décrire avec une ampleur épique les accidents qui peuvent se produire dans un comportement tel que décrit ci-dessus, mais je laisse cela à votre imagination. Qu'il

4

suffise de dire que les mains qui ne sont "protégées" contre l'eau froide 'à 4 degrés Celsius qu'avec un sac en plastique, ont tendance à devenir engourdies et immobiles, et l'effet de l'hypothermie des mains apparaît en essayant d'ouvrir les fermetures à glissière de la combinaison ou des botillons après la plongée.

En cas d'accident de plongée, s'il n'y a pas de directives nationales, les directives européennes sont utilisées pour clarifier la question de la culpabilité. Et je pourrais bien imaginer que le juge vous considérera négativement si vous n'avez pas donné d'air à votre partenaire de plongée à cause de vos mains engourdies. Sans parler de la réaction possible, espérons-le, de votre partenaire de plongée.

**Normes DIN - EN:**

EN 14153-1 Plongeur Encadré – comprend le Basic Diver IDA

EN 14153-2 Plongeur Autonome – comprend le Plongeur 1* IDA

EN 14153-3 Plongeur Encadrant– comprend le Plongeur 3*** IDA

EN 14413-1 Instructeur de Plongée Niveau 1

comprend l'Assistant Instructeur IDA

EN 14413-2 Instructeur de Plongée Niveau 2

comprend l'Instructeur 1* IDA


**Normes ISO:**

ISO 11121 – Discover Scuba Diving - comprend plongée d'Initiation IDA

ISO 24801-1 Supervised Diver – comprend le Basic Diver IDA

ISO 24801-2 Autonomous Diver comprend le Plongeur 1* IDA / OWD

ISO 24801-3 Dive Leader – comprend le Plongeur 3*** IDA

ISO 24802-1 Scuba Instructor Level comprend l'Assistant Instructeur IDA

ISO 24802-2 Scuba Instructor Level 2 – comprend l'Instructeur 1* IDA

## 1.2 Equipement minimum pour plonger en eau libre avec scaphandre selon les standard IDA et Euronorm!

**Equipement PMTC complet** (Masque, Tuba, Palmes, Lest)

Pour plus de détails se référer au partie 1 IDA

„Bases – Théorie pour les plongeurs  ISBN 9783752629941

.

7

**Deux Détendeurs Indépendants**.

Pendant les plongées en eau froide (température de l'eau 10 °
Celsius et moins, à la profondeur d'eau prévue) sur deux robinets
de bouteille verrouillables séparément.

Les deux détendeurs peuvent être montés sur un bloc de plongée
double ou sur une seule bouteille.

Quelle que soit celle des deux combinaisons que vous choisissez
cela dépend uniquement de la quantité d'air requise ou, si la
quantité d'air n'est pas le critère, de l'équipement qui est
disponible actuellement dans le centre de plongée

**Exemple 1**

Bloc de 10 Litres avec double robinetterie et tuyau MP pour
gonflage du costume sec

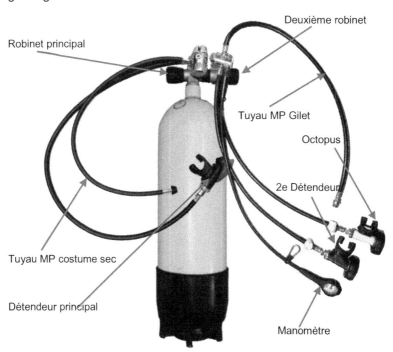

Deuxième robinet

Robinet principal

Tuyau MP Gilet

Octopus

2e Détendeur

Tuyau MP costume sec

Détendeur principal

Manomètre

MP (ou LP = Low pressure) signifie moyenne pression et HP (ou High Pressure) pour haute pression. Au premier étage, il a plusieurs sorties pour la MP. Selon le fabricant, la moyenne pression est comprise entre 5 bar et 15 bar, pour les détendeurs, le costume sec et le gilet, et une ou deux sorties pour la HP, c'est-à-dire haute pression (pression de bouteille), pour le manomètre et éventuellement un émetteur radio pour l'ordinateur de plongée.

**Exemple 2**
Double Bloc 7 L, relié par un pont verrouillable et deux robinets pouvant être fermés séparément. Grâce à la valve du milieu (également appelée collecteur) du pont, les deux blocs peuvent être utilisés séparément (2 x 7 litres) ou en tant qu'unité (14 litres).

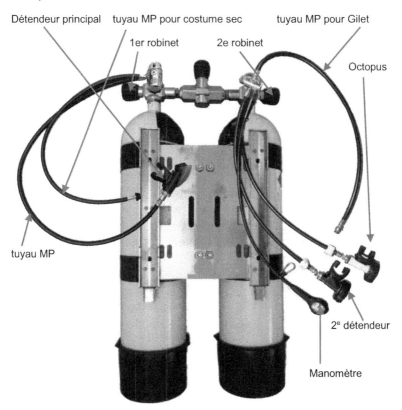

Détendeur principal    tuyau MP pour costume sec        tuyau MP pour Gilet

1er robinet        2e robinet

Octopus

tuyau MP

2ᵉ détendeur

Manomètre

Le lecteur critique peut maintenant se demander en quoi consiste tout l'enchevêtrement de tuyaux, et s'il doit vraiment plonger avec autant d'équipement En considérant l'aspect sécurité de la plongée, il est normal de répondre à cette question par un «oui» clair. Dans le passé, lorsque on croyait que tout allait pour le mieux, nous avons plongé avec un équipement minimal et nous avons quand même survécu. Mais nous devons continuer à évoluer, et par exemple sachant qu'il n'y avait pas d'airbags dans les voitures par le passé, personne ne doute cependant aujourd'hui que ces dispositifs ont sauvé des vies et les sauvent encore tous les jours, Nous considérons donc ces tuyaux comme nécessaires et vivons avec eux. En parlant de tuyau. Votre deuxième détendeur devrait avoir un tuyau MP de 120 cm. Si votre partenaire manque d'air et le montre (voir photo et film sur le code QR),

donnez-lui simplement votre deuxième détendeur, et gardez votre détendeur principal en bouche. De cette façon, la plongée peut se dérouler sans échange d'embout et permutation de détendeur, ce qui pourrait provoquer une certaine agitation ou insécurité dans la plongée. Cela a également un effet psychologique si vous donnez à votre partenaire un de vos détendeur que vous avez vérifié avant la mise à l'eau et dont vous êtes certain du fonctionnement. Votre partenaire ayant maintenant un problème; (sinon il ne vous aurait pas fait le signe "Je n'ai plus d'air"), et ce problème pourrait lui donner de l'inquiétude selon son inexpérience et son faible "niveau de formation",. Par conséquent, il est un plus rassurant pour votre partenaire de recevoir un détendeur qui fonctionne avec sécurité et permet également une liberté de mouvement suffisante pour les deux plongeurs en raison de la longueur de son tuyau. Afin de vous assurer que votre second détendeur et l'octopus fonctionnent correctement, vous devriez vérifier ces détendeurs régulièrement en respirant de temps en temps dessus pendant la plongée. Si, en cas d'urgence, vous donnez à votre partenaire un d étendeur bloqué ou dans lequel il y a par exemple, du sable, la situation peut dégénérer très rapidement et cela doit être évité à tout prix. Assurez-vous donc toujours que tout votre équipement fonctionne correctement à tout moment.

Les configurations indiquées sur les pages précédentes sont destinées à la plongée en eau froide (température de l'eau inférieure à 10 ° Celsius) et lorsqu'une combinaison étanche est utilisée. La répartition des sorties (costume sec, gilet, détendeurs) doit être choisie de manière à ce qu'on appelle la «charge de refroidissement» soit répartie, de sorte que le givrage des détendeurs (ici principalement celui des premiers étages) ne puisse pas se produire. La « charge de refroidissement » est la somme de tous les effets causés par le froid. Tout d'abord, bien sûr, nous avons la température de l'eau qui affecte l'ensemble de notre équipement et nous (principalement) dans le sens négatif. Et puis bien sûr, il y a aussi la quantité d'air que nous consommons su notre bloc et à travers les premiers étages de nos détendeurs. Bien sûr, cela comprend non seulement l'air prélevé par la respiration, mais aussi l'air que nous mettons dans le gilet et le costume sec. En tant que plongeurs expérimentés ou plutôt expérimentés, nous savons toujours que l'air qui se détend prélève des calories sur l'environnement immédiat, c'est-à-dire qu'il se refroidit. Voir aussi le livre de IDA «Théorie de base pour les plongeurs récréatifs», page 80.

**Voici encore une fois ce qui y est dit sur ce sujet**:

*Et depuis que MM.* **Joule** *(James Prescott Joule, physicien britannique, 1818 à 1889) et* **Thomson** *(William Thomson, physicien britannique, 1824 à 1907) ont découvert qu'en se détendant, les gaz dégagent de l'énergie vers l'environnement. et ainsi génèrent du froid, ainsi lorsqu'on respire sur le détendeur le premier étage se refroidi. Ce processus de réfrigération est nommé d'après les messieurs mentionnés ci-dessus, effet Joule-Thomson. Maintenant, vous vous demandez peut-être pourquoi* *nous évoquons cela? Parce que cet effet Joule Thomson peut gâcher votre plongée! Il peut toujours arriver qu'une ou deux gouttelettes d'eau se glissent dans le premier étage. Soit parce que vous n'avez pas appuyé suffisamment le pouce sur l'entrée haute pression du premier étage lors du rinçage, soit parce que l'opérateur du compresseur n'a pas utilisé de l'air suffisamment sec. Ainsi, lorsque ces gouttes rencontrent le froid généré par la détente au premier étage, elles gèleront et gêneront le fonctionnement du premier étage. En règle générale, votre détendeur fusera par le deuxième étage de manière incontrôlée jusqu'à ce que la bouteille soit vide ou que votre partenaire ferme le robinet de votre bouteille de plongée. A cause du gel de l'eau dans le premier étage, celui-ci ne peut pas se fermer et ainsi la moyenne pression augmente jusqu'à ce que, en raison de sa conception, le deuxième étage s'ouvre en faisant fuser l'air dans l'eau. Ce processus s'appelle le* **givrage interne**

Jetons un coup d'œil aux deux configurations ci-dessus. En principe, elles sont identiques, elles ne diffèrent que par le volume des blocs. Sans oublier qu'un bi-bouteille, généralement et aussi en fonction de la taille de la bouteille, repose mieux sur le dos, de plus le centre de gravité du bloc est plus proche du corps du plongeur et ainsi la rotation autour de l'axe longitudinal du plongeur en est moins affectée.

En tant que plongeur, vous respirez sur le détendeur principal, qui est relié au robinet principal et et a le plus d'influence sur la « charge de refroidissement », parce que vous respirez continuellement et donc refroidissez le premier étage. En même temps, vous équilibrez le costume sec sur le détendeur principal; mais cela ne se produit que rarement et seulement en de courtes rafales (flottabilité) contrairement à la respiration ,et cela n'a donc qu'une faible influence sur le premier étage. On peut maintenant noter que l'on ne peut pas parler ici d'une répartition de la « charge de refroidissement », puisque les deux «élément consommateurs d'air» sont sur un premier étage. Mais c'est vrai... Le diable est dans les détails ici aussi, et nous devons nous soucier de la sécurité en plongée. Supposons que le premier étage du détendeur principal givre et que nous ou notre partenaire devons fermer le robinet principal. Avec cette configuration illustrée ci-dessus, nous avons un système complet disponible en redondance sur la deuxième sortie, et pouvons terminer la plongée en toute tranquillité. Seulement, terminer la plongée signifie remonter, et ne pas la continuer. Votre partenaire peut si nécessaire, et sans échange d'embout, "s'accrocher" à votre octopus de votre deuxième détendeur et effectuer une remontée en toute tranquillité

S'il y a un accident et que nous devons sauver notre partenaire, nous pouvons utiliser notre gilet comme aide à la flottabilité et dispositif de sauvetage, car il est raccordé à la deuxième sortie et est donc alimentée en air. Si le gilet était connectée au premier étage du détendeur principal et le costume sec au premier étage du deuxième détendeur, nous devrions alors effectuer un sauvetage en utilisant la combinaison étanche comme aide au sauvetage et à la flottabilité, ce qui est beaucoup plus difficile que le sauvetage avec le gilet. Quiconque a déjà été dans une telle situation, qu'il le veuille ou non, conviendra sûrement qu'il n'est pas facile pour des plongeurs en costume sec, même expérimentés, de sauver une personne et de se tarer sur le sec en même temps pour le remonter à la surface  ou pour l'empêcher de couler. À strictement parler, dans une telle situation, vous auriez besoin de beaucoup plus de mains que nous n'en avons, car nous devons maintenant gérer notre combinaison étanche, peut-être notre gilet et le gilet de la victime, en même temps. Et nous devons avoir encore au moins une main libre pour tenir la victime. Si la personne à secourir est aussi en costume sec, il sera vraiment très difficile de remonter lentement à la surface de l'eau. Vous pouvez apprendre cela dans un cours de spécialisation (SK) pour les plongées en costume sec. Mais ne vous inquiétez pas inutilement, dans la plupart des cas, les détendeurs modernes et les compresseur actuels empêchent de manière fiable qu'un tel givrage se produise. Si vous vous assurez qu'aucune goutte eau ne peut entrer dans le premier étage pendant le rinçage de vos détendeurs, le givrage est presque impossible. Mais ce n'est jamais impossible, gardez cela à l'esprit lorsque vous plongez dans l'eau froide.

La combinaison étanche est également appelée combinaison à volume constant, du moins chez les professionnels. Pourquoi? Tout simplement, si la combinaison a toujours un volume constant, ce que nous, en tant que plongeurs, devons / devrions assurer, la flottabilité reste toujours constante, selon Archimède. Le gilet n'est donc utilisé que pour le sauvetage en cas d'urgence. Si vous faites une erreur et tarez le gilet comme d'habitude, la physique vous fera remarquer votre erreur. En descendant, un vide relatif par rapport à la pression extérieure est créé dans le costume sec, si de l'air n'est pas ajouté, et donc de l'eau sera aspirée dans le costume sec, ce qui signifie qu' "il devient humide et froid". En règle générale, vous constatez votre erreur très rapidement et pouvez la corriger. Mais vous resterez mouillé quand même.

Et si vous plongez dans de l'eau chaude en combinaison humide (température supérieure à 10 ° Celsius), retirez simplement le tuyau MP pour le costume sec, et laissez tout le reste reste tel quel.

**Bloc de plongée (Mono- Bi bouteille)**

Bloc 2 x 7 Litres, avec support Poseidon Quick Snap

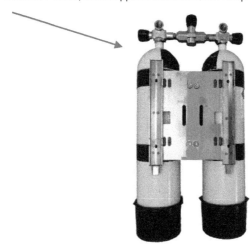

Bloc standard 10 Litres avec

double robineterie

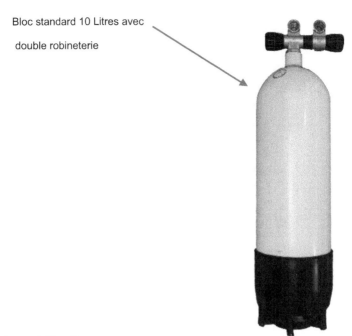

## Gilet de stabilisation

Bouée de sauvetage et de stabilisation

.t plus utilisé de nos jours

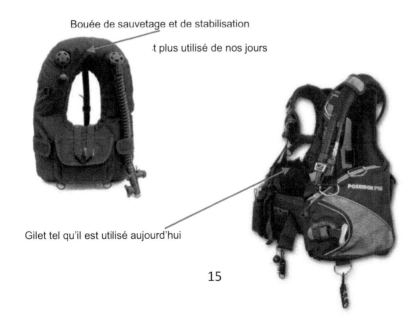

Gilet tel qu'il est utilisé aujourd'hui

Le Gilet „Wing" est souvent utilisé en plongée technique (Tec-Diving)

Purger le gilet et

plonger les pieds en avant.

## Système de lestage

Ceinture de lest avec boucle de largage rapide

plomb de chevilles

16

Ceinture souple avec poches pour plombs largables

pochettes de grenaille de plomb

pochettes pour gilet (selon le modèle)

Harnais de lestage

pour utilisation spéciale, avec

possibilité de largage rapide des plombs

17

Les plombs de lestage sont disponibles sous différentes formes et ils peuvent également être attaché au corps de différentes manières. En général, ce lestage remplit deux tâches. Premièrement, il devrait compenser la flottabilité du plongeur, qui est principalement causée par le néoprène, et deuxièmement, il devrait produire une assiette correcte. Selon la position dans l'eau, qui est déterminée par l'équipement, il peut être nécessaire de changer l'assiette du plongeur pour qu'il soit "presque" horizontal sous l'eau. avec une légère inclinaison vers la surface de l'eau, Pour qu'il n'ait pas à incliner continuellement la tête en arrière pour regarder vers l'avant. La position dans l'eau peut etre ajustée par exemple en découpant ces petites poches de lest (voir photo page 16) qui seront fixées aux jambes au niveau des chevilles. Certaines vestes ont également des poches spéciales qui peuvent contenir des plombs de lestage. Il est également possible, si vous êtes un peu habile dans l'art, d'installer des poids de lestage à l'extrémité inférieure de la coque du gilet Parfois, un peu d'ingéniosité est ici nécessaire.

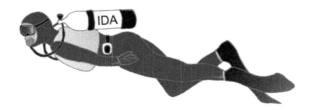

**Manomètre immergeable**

Le manomètre sous-marin (manomètre haute pression), également connu sous le nom de jauge dans des cercles de plongée, fait bien sûr également partie d'un équipement complet de plongée. L'illustration de la page suivante montre un manomètre dans une console, ainsi qu'un profondimètre et une boussole. On peut le faire, mais ce n'est pas obligatoire. Si vous voulez suivre un parcours exact, la boussole doit être tenue de façon à permettre un pointage précis.

Mais pour retrouver approximativement le chemin du rivage, la boussole peut également être fixée au tuyau du manomètre

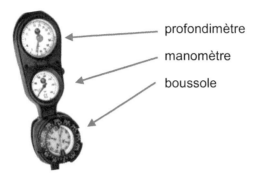

profondimètre

manomètre

boussole

Dans la plupart des cas, cependant, le manomètre est monté comme un instrument solo et est ensuite attaché à l'équipement afin qu'il ne puisse pas traîner sur le fond marin ou dans les coraux. J'utilise un rétracteur comme support, donc le manomètre est toujours maintenu près du corps et je peux toujours l'écarter pour le lire. Les fixations rigides, telles que les attaches de tuyaux ou similaires, ne m'ont pas donné satisfaction. Un rétracteur est un fil d'acier inoxydable enroulé sur une bobine qui est automatiquement ramené dans le boîtier par un ressort lorsque on cesse de tirer.

Exemple de rétracteur , ici pour la boussole.

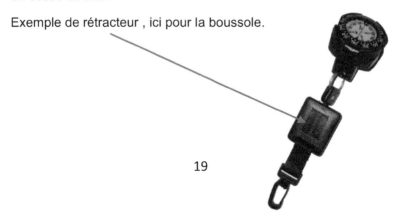

**Indicateur de profondeur (Profondimètre ou Ordinateur), Timer (Montre ou Ordinateur) et un moyen de déterminer les paliers de décompression (Table ou Ordinateur)**

La liste ci-dessus montre que vous pouvez économiser plusieurs instruments si vous possédez un ordinateur de plongée. Mais gardez à l'esprit qu'un ordinateur de plongée peut également tomber en panne et il est donc conseillé d'avoir toujours votre montre, votre profondimètre et votre table de plongée avec vous. Il s'agit d'un conseil bien intentionné que la plupart des plongeurs ne suivent pas, car il est très rare qu'un ordinateur de plongée tombe en panne. Je ne respecte pas ce conseil pour mes plongées habituelles, car je sais toujours exactement combien de temps et à quelle profondeur je plonge et ne peux donc pas être saturé et devoir faire des paliers. Afin de faire un palier de sécurité à 5 mètres, je dois Par exemple, allez simplement dans «mes» boules de récif et «traînez» là pendant un moment. Les boules de récif sont situées exactement à une profondeur de 5 mètres et comme elles pèsent jusqu'à 600 kg, personne ne les déplacera. Les boules de récif sont des hémisphères en béton creux avec plusieurs grandes ouvertures. Elles sont destinées à remplacer les fonds durs et uniformes, et fournissent ainsi des cachettes et des ancrages pour la flore et la faune sous-marines. Voir photo ci-dessous:

Cependant, si je prévois une plongée qui m'amène à une plus grande profondeur ou nécessite des temps de plongée plus longs, je prends certainement les instruments recommandés avec moi. Mon ordinateur de plongée ne m'a jamais quitté, mais une fois c'est toujours la première fois

**L'ordinateur de plongée, « arme polyvalente »**

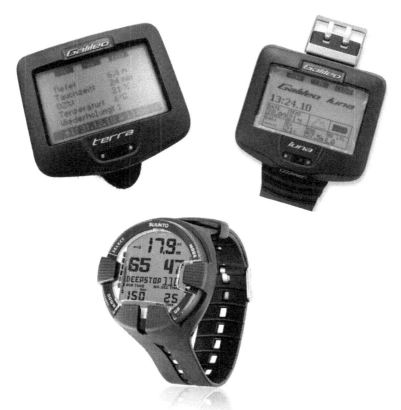

Les ordinateurs de plongée sont disponibles dans de nombreux modèles, formes et couleurs différents. Demandez conseil dans le magasin de plongée en qui vous avez confiance et / ou auprès de votre instructeur

## Profondimètre

Si vous décidez d'acheter un profondimètre, dans ce cas vous pouvez également chercher de bons conseils . Il existe de nombreux instruments différents et qui ne diffèrent pas seulement par leur prix

## Montre de plongée

Encore une fois, il existe d'innombrables modèles différents pour les plongeurs sportifs, mais dans l'ensemble, ils indiquent tous l'heure. Bien sûr, lors de l'achat d'une telle montre, non seulement des raisons rationnelles jouent un rôle, mais aussi la taille du portefeuille, et aussi la mode qui n'est pas un des moindres aspects. Étant donné que la majorité des plongeurs sont précautionneux pour leur montre et préfèrent donc ne pas l'emporter avec eux lors de la plongée, vous devrez D'ABORD réfléchir à la raison pour laquelle vous voulez une montre.

Des informations plus détaillées sur les instruments peuvent être trouvées dans Livre 1 de IDA « Bases et Théorie pour les plongeurs », dans les magasins spécialisés de plongée, dans les librairies ou auprès de votre Instructeur de plongée

**La Table de Décompression**

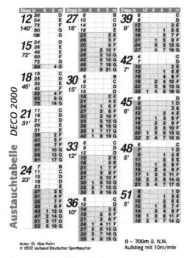 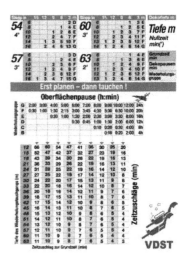

*Auteur: Dr. Max Hahn*

*©VDST Verband Deutscher Sporttaucher*

*Disponible à la boutique de la VDST-Shop*

(note du traducteur : table disponible uniquement en langue allemande, voir la traduction dans le livre 1 de IDA))

23

## La combinaison de plongée

La combinaison de plongée est conçue pour vous protéger du refroidissement et des blessures. Elle est non seulement disponible dans différentes épaisseurs de matériaux et de couleurs, mais aussi sans manches ou sans jambes, avec ou sans cagoule, avec ou sans fermetures à glissière, avec ou sans ......... Donc, à peu près tout ce qu'un plongeur peut désirer, et une liste complète de toutes les offres pourrait remplir ce livre. Une combinaison de plongée doit toujours être adaptée à la situation et pas seulement choisie par économie ou dépense excessive. La combinaison étanche en néoprène ne convient pas vraiment aux plongées en Égypte, tandis que le shorty de 3 mm ne convient pas à la plongée sous glace. Mais vous le savez déjà vous-même ou vous le remarquerez lorsque vous l'essayez. Je renonce donc à la présentation détaillée des différents types de combinaisons et préfère me concentrer sur l'essentiel. Si vous avez des questions sur les combinaisons de plongée, demandez à votre revendeur spécialisé ou demandez conseil à votre Instructeur de plongée. Souvent, il est logique de simplement regarder ce que les autres plongeurs portent dans telle ou telle situation. Voici quelques exemples:

Costume sec en néoprène

avec cagoule attachée

Costume sec en trilaminé

avec cagoule attachée

24

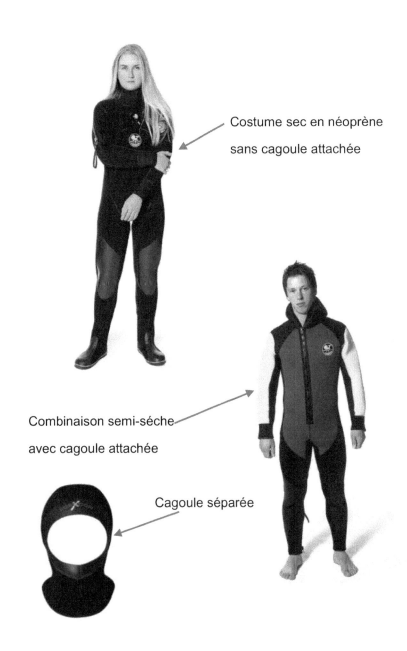

Costume sec en néoprène sans cagoule attachée

Combinaison semi-séche avec cagoule attachée

Cagoule séparée

Gants à 5 doigts, également disponible en 3 doigts (les doigts se réchauffent mutuellement et se refroidissent moins vite)

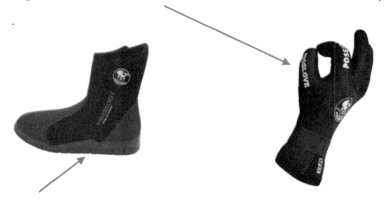

Chaussons, 6,5 mm avec fermeture éclair et semelle renforcée.

## Couteau / Outil coupant

Un couteau, dans la vie réelle, est un outil et non une arme. Même si les gens l'utilisent mal et abusent encore de cet outil. En effet, le couteau doit être considéré comme un outil et conçu de sorte que vous puissiez l'utiliser comme tel. Ici aussi, demandez conseil à un revendeur spécialisé ou à votre Instructeur de plongée.

Couteau de plongée en titane

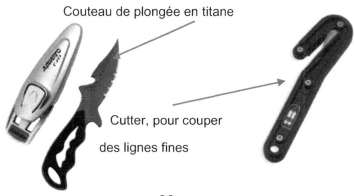

Cutter, pour couper

des lignes fines

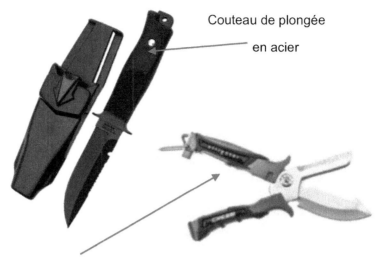

Couteau de plongée
en acier

Cisailles universelles

Ces équipements énumérés ici sont la configuration minimale que chaque plongeur doit avoir. Les plongées spéciales nécessitent également un équipement spécial, comme tout le monde devrait le comprendre. Presque personne ne fera une plongée de nuit sans lampe sous-marine, et personne n'entrera volontairement dans une grotte sous-marine sans l'équipement approprié. Donc, si vous êtes intéressé par une «forme spéciale» de plongée, je vous conseille fortement de suivre le cours spécial correspondant (SK) et de découvrir en détail de quel équipement vous avez besoin. Et n'oubliez pas que le meilleur équipement ne vaut rien si vous n'êtes pas en mesure de le faire fonctionner ou de l'utiliser correctement. Si votre instructeur n'a pas l'autorisation de formation et de certification pour le cours de spécialisation que vous souhaitez, vous pouvez trouver sur la page d'accueil de l'IDAwww.ida-worldwide.com les coordonnée dans votre région d'un Instructeur qui peut vous former et vous certifier pour le cours que vous souhaitez.

Il est évident que tous les Instructeurs de plongée ne maîtrisent pas nécessairement tous les sujets et les formes spéciales de plongée.Nos collègues se spécialisent souvent dans quelques sujets, puis les proposent, ce qui est toujours souhaitable. Il vaut mieux un Instructeur de plongée qui ne propose que deux ou trois cours différents, mais qui les maîtrise parfaitement, qu'un Instructeur de plongée qui croit pouvoir tout faire et peut mettre ainsi en danger lui-même et ses élèves.

Ce qui nous amène au sujet suivant. Le répertoire standard de chaque instructeur IDA comprend le SK (cours de spécialisation) Orientation Sous-Marine ainsi que le cours de spécialisation Direction de Palanquée. Vous devez suivre et réussir ces deux cours pour commencer le cours de Plongeur 2**. Pourquoi? En tant que plongeur 2**, vous êtes déjà un plongeur avancé et, par conséquent, conformément aux règlements d'examen de IDA, vous pouvez planifier et effectuer des plongées indépendantes avec des plongeurs formés de niveau équivalents, c'est-à-dire d'autres plongeurs 2** ou de niveaux de formation équivalents d'autres organisations de plongée. Vous serez certainement d'accord avec moi si je dis que c'est donc parfaitement logique de savoir toujours où vous êtes et où vous voulez aller. Vous devez également savoir comment guider en toute sécurité d'autres plongeurs sous l'eau de manière à ce que tous les plongeurs, y compris vous, aient non seulement une belle plongée, mais tous laissent le site de plongée intact . Le règlement des examens pour les plongeurs et les instructeurs se trouve dans la zone de téléchargement libre de la page d'accueil de IDA : www.ida-worldwide.com/de/download

Nous commencerons donc avec le cours de spécialisation Orientation Sous-Marine.

## 2.0 Cours de spécialisation Orientation Sous-Marine

## 2.1 But du Cours

Le participant doit être en mesure de déterminer son parcours de plongée et sa situation pendant la plongée, et de retrouver son chemin en toute sécurité jusqu'à son point de départ.

Après avoir terminé le cours, il devrait

- Connaître et pouvoir utiliser les aides naturels pour l'orientation,

- Connaître et pouvoir utiliser les aides techniques d'orientation,

- Peut maîtriser les plongées en toute sécurité avec ces moyens d'orientation

## 2.2 Orientation Naturelle

Pour le dire clairement, l'orientation naturelle est basée sur ce que la nature nous offre comme aide à l'orientation. Donc le soleil, la lune, les arbres, les montagnes, les lacs et autres. Maintenant, les gens ont également créé beaucoup d'aides à l'orientation, mais ils ne sont pas d'origine naturelle. Ainsi les rues, maisons, google maps® et plein d'autres choses. Sous l'eau, nous devons nous passer de la plupart de ce que nous utilisons pour nous orienter en surface D'accord, il y a des rues et des maisons dans un lac de barrage, mais la plupart du temps la visibilité est plutôt réduite, donc nous ne pouvons pas l'utiliser comme nous le faisons au-dessus de l'eau.

Cependant, ce qui est identique sur et sous l'eau est le champ magnétique terrestre. Et c'est pourquoi nous, les plongeurs, comptons sur la boussole. Mais nous verrons ce sujet plus tard.

Quels moyens naturels pouvons-nous donc utiliser pour l'orientation sous l'eau? Ainsi, le soleil et la lune sont disponibles si l'eau est très claire et que la profondeur n'est pas trop grande Ensuite, chaque plan d'eau a ce qu'on appelle un profil de profondeur, qui n'est rien de plus habituel que le fait qu'il soit au sec sur la rive, puis qu'il s'immerge, et que plus nous avançons dans l'eau, plus il s'enfonce. Et ceci, peu importe que nous plongions dans un lac ou dans la mer. Le fait est que l'eau devient moins profonde vers le rivage, à l'exception des bancs de sable ou des hauts-fonds qui peuvent se produire, et la profondeur de l'eau augmente à partir du rivage. C'est toujours ainsi, mais ce n'est pas très utile lors de la plongée depuis un bateau. Ensuite, nous avons la nature du sol. Est-ce rocheux ou sablonneux? Existe-t-il des plantes spéciales comme des gorgones, des coraux, des récifs ou autres choses similaires? Y a-t-il des courants dominants qui sont constants et qui ne changent pas? Si nous regardons autour de nous et que nous nous souvenons de quelque chose qui est remarquable, le chemin aller-retour est un peu plus facile à trouver. Il est également judicieux de se retourner sur le chemin à l'aller de votre plongée, par exemple vers une épave, et de regarder le chemin du retour pour plus tard. Vous pouvez donc vous rappeler le chemin du retour en utilisant certaines fonctionnalités.

**La direction du soleil ou de la lune peut être déterminée approximativement.**

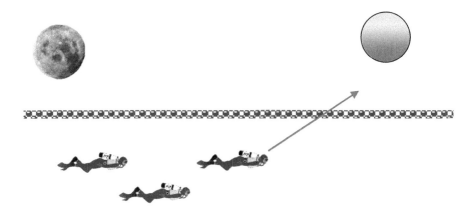

**Orientation basée sur la nature du sol et le profil du sol**

Rivage                                    Milieu du plan d'eau

**Profil de profondeur**

Les vagues dessinent souvent des traces sur le sable dans la zone près du rivage. Ces traces sont parallèles au rivage. Si vous plongez à un angle de 90 degrés par rapport à ces traces, alors allez vers le rivage lorsque la profondeur de l'eau diminue.

Les rochers ou les grosses pierres peuvent également être un bon guide.

Il en va de même pour les tombants, les récifs ou les bancs de moules.

En général, utilisez tout ce qui est «stationnaire» et peut vous aider à trouver votre chemin.

Par «stationnaire», on entend des choses qui ne peuvent pas facilement changer de place dans l'eau. Un banc de poissons est tout aussi impropre à l'orientation que les autres créatures sous-marines (poissons et animaux similaires).

De nombreuses plantes ne se trouvent également que dans la zone près de la rive, car elles nécessitent beaucoup de lumière; il en va de même pour certaines espèces animales. La zone du plan d'eau dans laquelle vous plongez.

Observez tout sous l'eau et souvenez vous de tout ce qui convient à l'orientation. Les sites de plongée proches de chez moi, la mer Baltique et bien sûr aussi les sites de plongée que je visite souvent, ont à offrir beaucoup de moyen naturels d'orientation et de nombreux autres repères.

Un de mes spots de plongée préférés est près d'un pont et comme mes concitoyens humains se débarrassent souvent dans l'eau de choses qui n'y ont pas leur place, il y a donc de nombreuses aides à l'orientation qui peuvent être utilisées. Au moins jusqu'à ce que nous ayons retiré ces choses hors de l'eau et les ayons éliminées

## 2.3 Orientation aux Instruments

Afin de nous orienter sous l'eau, nous avons , nous les plongeurs récréatifs, en plus de l'orientation naturelle, la boussole et, si nécessaire, des lignes ou des cordes tendues sous l'eau qui nous aident à trouver le bon chemin. Pour un plongeur 2**,formé,  il est bien entendu hors de question de poser des lignes pour trouver sa destination ou le chemin du retour. Bien que, selon la visibilité sous l'eau, cela simplifierait énormément la question.

Nous utilisons principalement la **boussole** pour trouver notre chemin en toute sécurité. L'industrie propose également d'autres appareils qui sont certes très utiles, mais malheureusement très chers. Ce qu'on appelle le **GPS** (Global Positioning System) peut être utilisé par le plongeur, mais faut nécessairement traîner derrière vous une antenne qui doit être au-dessus de l'eau, car cette antenne doit avoir une "ligne de visée" directe vers le satellite. Sans parler du prix d'un tel équipement. Cet appareil est très utile pour les plaisanciers, et si l'on peut alors plonger directement sous le bateau car on peut ainsi trouver facilement l'épave, pour cela, le GPS est vraiment bien adapté. Sur l'écran du récepteur d'un tel appareil, vous pouvez alors lire directement les coordonnées auxquelles vous vous trouvez. Le système se compose de nombreux satellites qui sont en orbite  dans l'espace et transmettent en permanence certains signaux. Notre récepteur reçoit ces signaux et les utilise pour calculer la position actuelle.

:

L'équipement, qui est appelè sonar (Sound Navigation and Ranging) et utilisé en navigation, peut également convenir aux plongeurs. Il ne sert pas à représenter le paysage sous-marin, comme cela est habituel avec les navires de recherche, mais seulement à trouver un point spécifique auquel l'émetteur doit être fixé au préalable. En principe, ce n'est rien de plus que la ligne dont on parlé précédemment pour trouver un point, mais ici sans la ligne. ☐

L'émetteur de notre sonar est ici par ex. fixé sur une épave, que nous visitons souvent, mais qu'on ne peut pas trouver aussi facilement que souhaité. Avec le récepteur portable, nous activons maintenant cet émetteur dès que nous savons être à proximité de l'épave. La portée de l'émetteur va jusqu'à 300 mètres sous l'eau. À l'aide de quelques diodes électroluminescentes sur le récepteur portatif qui nous indiquent la direction, nous pouvons maintenant trouver l'épave relativement rapidement et en toute sécurité, même si la visibilité ne la rend «tangible» que lorsque nous nous frappons la tête dessus.

.

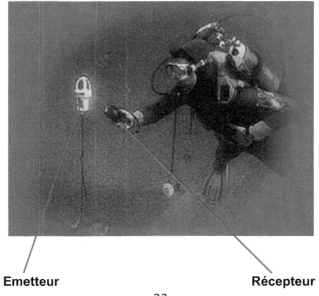

**Emetteur**                                   **Récepteur**

**Emetteur**                                    **Récepteur**

Ce sonar portable appelé "Eye Sea" a même une portée de 1000
mètres. Et si vous n'êtes pas sûr de retrouver le rivage ou le
bateau à la fin d'une plongée, il est logique d'y fixer un tel
émetteur.

De tels instruments techniques sont certes très utiles dans
certains domaines et aussi une véritable alternative pour les
plongeurs «technophiles», mais les plongeurs «normaux»
préfèrent la boussole.

### 2.3.1 La boussole

Cet instrument de navigation est connu en Chine depuis près de 2500 ans et peu de temps après, les Grecs ont également utilisé cet instrument. Le principe de la boussole est très simple, mais pour certains plongeurs, c'est un obstacle presque insurmontable.

La terre a un champ magnétique naturel. Ce champ magnétique émerge ou entre aux pôles et est parallèle du nord au sud. Nous ne devons pas être maintenant égarés par les différences entre les pôles magnétiques et géographiques, car pour le plongeur loisir, **de même que pour le skipper**, cette différence n'est pas significative.

Ce qui est plus important pour nous les plongeurs, c'est ce qu'on appelle la déviation, qui décrit une erreur qui ne peut pas être causée par le champ magnétique de la terre mais par des parties de notre équipement (bouteille d'air comprimé, lampe sous-marine ou une deuxième boussole).

En effet, il y a une influence qui peut perturber l'aiguille de notre boussole. Ainsi, l'aiguille est malheureusement déviée aussi par des champs magnétiques qui perturbent ou modifient le champ magnétique terrestre et faussent ainsi notre cap. La déviation est causée par des métaux qui concentrent le champ magnétique terrestre et perturbent ainsi l'aiguille, mais cela est aussi causé par des conducteurs électriques à travers lesquels un courant électrique circule.

### Conception de base d'une Boussole

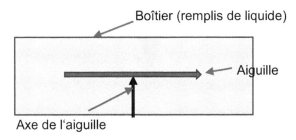

Boîtier (remplis de liquide)

Aiguille

Axe de l'aiguille

**2.4 Le champ magnétique terrestre** (représentation simplifiée)

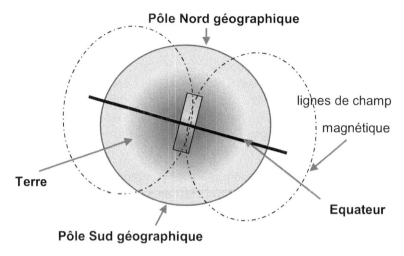

Les lignes pointillées montrent, dans une représentation simplifiée, le champ magnétique de la terre. Ces lignes de champ magnétique sont invisibles à l'œil humain, mais nous pouvons les mesurer. L'appareil de mesure le plus simple est une aiguille magnétique, qui est montée au milieu pour pouvoir tourner librement.

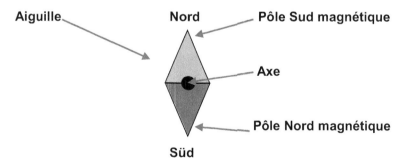

Cette aiguille est elle-même un très petit aimant et a donc un pôle nord magnétique et un pôle sud magnétique, comme nous le savons des cours de physique scolaire.

36

Les lignes de champ magnétique peuvent être rendues visibles par ex. placez une feuille de papier sur un barreau magnétique, puis saupoudrez de la poudre de fer sur cette feuille Les particules de fer s'alignent alors selon le champ magnétique de la barre magnétique et nous pouvons les «voir». Voir le film

Nous savons également que les mêmes pôles se repoussent, et attirent des pôles différents. Voir le film.

Ainsi, puisque l'aiguille peut tourner librement, elle s'aligne dans le champ magnétique terrestre. Le pôle nord magnétique de l'aiguille pointe vers le pôle sud magnétique de la terre et le pôle sud magnétique de l'aiguille pointe vers le pôle nord magnétique de la terre. Ainsi, les pôles inégaux s'attirent et tout est comme il se doit. En gros et en détails. Par conséquent, une partie de l'aiguille pointe toujours vers le nord, tandis que l'autre partie pointe toujours vers le sud, et nous avons une indication que nous pouvons utiliser pour guider notre parcours.

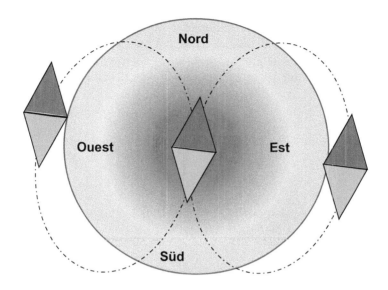

**Tant que le champ magnétique de la terre a la plus grande influence sur l'alignement de l'aiguille de la boussole, l'aiguille de la boussole s'alignera toujours dans une direction nord-sud.**

Le plongeur intelligent se pose donc la question "Qu'est-ce qui peut être plus grand ou plus fort que le champ magnétique de la terre"? Parce que c'est, après tout, incontestablement le plus grand aimant de la terre, ceci dit au figuré.

Oui, la terre est sans aucun doute le plus grand aimant du monde! ☐ Mais les lignes de champ magnétique de la Terre sont encore assez faibles, sinon vous ne pourriez conduire votre voiture qu'au nord et ce qui arriverait à tous les autres matériaux ferreux de la Terre dépend de votre imagination.

Dans le film de la page suivante, vous pouvez voir comment un aimant, petit par rapport à la terre, influence l'aiguille de la boussole. "Dans ce cas", ce n'est pas la taille qui compte, mais la force inhérente à l'objet.

Sans équipement de mesure, nous ne pourrions pas visualiser les lignes de champ magnétique de la terre et ces lignes n'ont aucune influence sur notre vie quotidienne normale. Sauf si vous avez besoin de ces lignes de champ pour la navigation ou si vous êtes un pigeon qui s'orienterait en utilisant ces lignes de champ.


## 2.5 La manipulation de la boussole

Mais revenons à la boussole. L'aiguille de la boussole tourne toujours de sorte qu'une extrémité pointe vers le nord. Cette direction est maintenant assez élémentaire et ce serait bien si on pouvait la détailler un peu, car avec l'indication "vers le nord" on ne trouve presque rien sous l'eau, à l'exception du rivage. Par conséquent, il y a une échelle à 360 degrés autour de cette aiguille, généralement dans le boîtier ou sur une couronne rotative que nous pouvons maintenant utiliser pour une navigation plus précise. Pour faciliter la visée des objets, certaines personnes ingénieuses ont collé un disque sous l'aiguille de la boussole, de sorte que ce disque doit tourner avec l'aiguille lorsqu'elle pointe vers le nord. Ce disque a également une graduation à 360 degrés et, pour pouvoir lire cette échelle, il y a une fenêtre de lecture transparente sur le côté face au plongeur, quand il tient correctement sa boussole

.

Repères de pointage (deux repères, comme mire et guidon)

fenètre de lecture

Repère

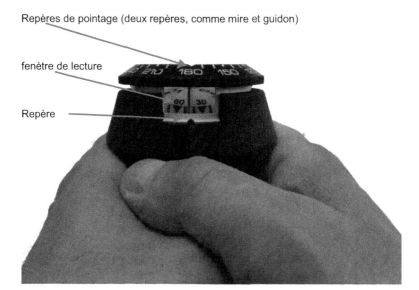

Comme nous le savons peut-être des leçons apprises à l'école, le cercle dans lequel nous pouvons tourner, c'est-à-dire autour de notre axe longitudinal lorsque nous nous tenons debout, est de 360 degrés. Où 0 degrés et 360 degrés sont sur le même point. Cela ne signifie rien d'autre que de diviser le cercle en 360 parties égales (360 degrés) et que nous pouvons donc tourner degrés par degrés, autour de notre axe par crans de la même taille. Et quand nous avons trouvé la bonne direction, c'est-à-dire le cap en degrés, nous pouvons palmer dans cette direction.

Nous, les plongeurs, sommes au centre de notre propre cercle «imaginaire» qui nous entoure. Ce «modèle de pensée» nous aide à comprendre le principe d'orientation à la boussole.

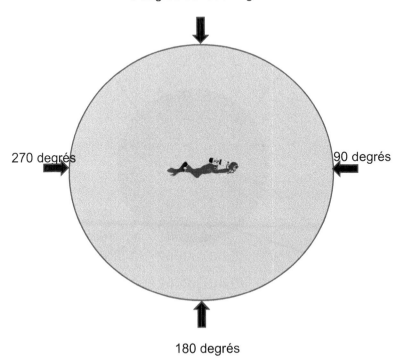

0 degrés ou. 360 degrés

270 degrés

90 degrés

180 degrés

Si nous regardons maintenant directement vers le nord, nous regardons dans la direction de 0 ou 360 degrés. Si nous regardons exactement vers le sud, nous regardons vers 180 degrés. Et bien sûr, cela fonctionne pour chaque valeur intermédiaire unique, c'est-à-dire de 0 à 360 degrés. A strictement parler, l'aiguille de la boussole ne fait rien d'autre, simplement elle «regarde» **toujours vers le nord.**

Aiguille ou disque gradué sous lequel se trouve l'aiguille

Couronne graduée

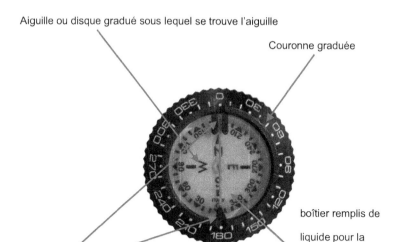

boîtier remplis de
liquide pour la
stabilisation

Aide de pointage (comme une mire et un guidon) sur la couronne

Le liquide dans le boîtier est censé amortir la rotation de l'aiguille / du disque et en même temps le protéger des vibrations. Sans ce fluide, l'aiguille s'alignerait très rapidement et répondrait à chaque petit choc. Cela compliquerait inutilement un relèvement exact. De plus, ce fluide amortit les forces qui agissent sur l'axe de l'aiguille, si nous prenons soin de notre boussole. Enfin et surtout, ce liquide remplace l'air qui autrement se trouverait dans le boîtier. Le boîtier de la boussole est donc presque insensible aux pressions qui se produisent en profondeur. Une telle boussole est assez stable, mais traitez-la quand même avec soin, car c'est un instrument de mesure. Et faites attention à l'endroit où vous «jetez ou déposez» votre ceinture de lestage Surtout après la plongée, la ceinture de plomb peut accidentellement atterrir sur la boussole. Je l'ai fait au moins plus d'une fois, mettant ainsi une fin à ma boussole.

## Boîtier vu en latéral, sans bracelet en caoutchouc

Couronne

aides au pointage

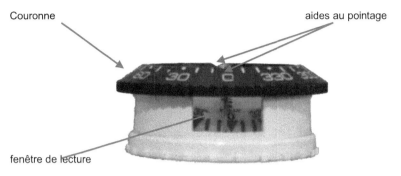

fenêtre de lecture

Ce boîtier de boussole comprenant un anneau rotatif est généralement monté dans un bracelet en caoutchouc, que vous pouvez attacher autour de votre poignet. Comme je l'ai noté plus tôt dans le texte, ce type de pièce jointe n'est pas optimal si vous avez un seul but à devoir trouver, par exemple une épave,. Pour un relèvement exact, il est donc préférable de réaliser une planchette sur laquelle nous fixons la boussole et pouvons donc suivre notre route en la tenant devant soi. La fixation à l'aide d'un rétracteur est bien sûr également possible.

## Planchette de boussole avec profondimetre , et montage avec rétracteur

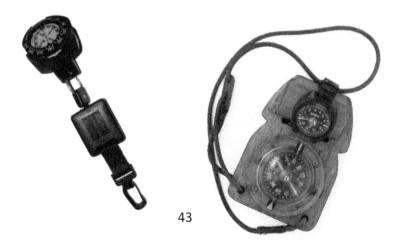

43

Une construction (self-made), comme indiqué sur la page précédente, est très bien adaptée pour trouver des objets sous l'eau, car vous avez non seulement la boussole en vue, mais aussi le profondimètre. Ces planchettes étaient auparavant utilisées par des plongeurs de la marine allemande.

Maintenant, j'ai toujours parlé de viser ou de faire un relèvement sans entrer dans le détail de ce que c'est réellement

## 2.6 Qu'est ce qu'un relèvement?

En fait, un relèvement n'est rien d'autre que la détermination d'une direction dans laquelle se trouve un objet. Lorsque nous cherchons un objet, nous en recherchons déjà le relèvement . Alors que, nous ne savons toujours pas exactement où il se trouve par rapport à notre position actuelle. Et la direction, c'est exactement ce que nous devons savoir, sinon nous ne pourrons pas trouver l'objet, au moins sous l'eau et avec une visibilité limitée.

Commençons par la façon dont la boussole doit être tenue afin de rendre le relèvement le plus précis possible. A savoir dans la position « en avant » (voir page 47)!

Pour pouvoir viser un objet, nous avons besoin soit du nombre exact de degrés, par rapport à notre position actuelle, soit d'un repère de visée vers l'objet. Si nous pouvons voir l'objet, nous pouvons également utiliser un relèvement à la boussole. Pour viser, nous tenons la boussole avec les deux bras tendus, ou alternativement avec un bras tendu au milieu de notre corps afin que nous puissions voir l'objet que nous voulons atteindre via les deux repères de visée (encoches) de la boussole. Notre objet ici est un voilier.

Gardez également à l'esprit que vous prenez le relèvement directement de l'endroit d'où vous allez commencer à palmer Un relèvement peut changer en fonction de l'emplacement et de diverses influences. Ne visez donc que lorsque vous êtes dans l'eau, pas sur la plage ou sur le rivage.

Ensuite, nous avons lu le nombre de degrés dans la fenêtre de visée. Maintenant, nous avons orienté le voilier à presque exactement 47 degrés et notons ce nombre de degrés sur notre tableau au point 1. Soit dit en passant, le point 2 serait le cap de retour qui vous ramènera au rivage. Vous pouvez facilement calculer le cap de retour en ajoutant ou en soustrayant 180 degrés au cap initialement suivi en plongée

Une tablette d'écriture en plastique qui peut être annotée avec un crayon est un outil utile pour noter les degrés et les distances sous l'eau. Les notes peuvent être effacées à tout moment et la tablette peut ensuite être annotée à nouveau. Vous pouvez obtenir ces planchettes dans chaque magasin de plongée.

Ensuite, nous nous immergeons sans changer de position par rapport au fond, et nous nous stabilisons à quelques mètres au-dessus du fond. Maintenant, nous reprenons la boussole en position avant et tournons sur nous même jusqu'à ce que les 47 degrés soient exactement au-dessus du repère central dans la fenêtre. Nous commençons à palmer lentement, en gardant les yeux sur la boussole. Nous regardons toujours devant nous au-dessus de la boussole, en veillant à garder la direction dans laquelle nous nageons, à 47 degrés. Utilisez de légers mouvements de la boussole pour vous assurer que l'aiguille peut toujours tourner librement et que vous n'inclinez pas la boussole. Si la visibilité est particulièrement bonne, vous pouvez également vous souvenir de certains waypoints qui sont exactement à nos 47 degrés. Cela peut être des pointes de récif, des pierres ou similaires. Une bouteille ou une canette négligemment jetée peut également servir d'aide à la navigation. Mais sur le chemin du retour, nous l'emportons avec nous et nous en débarrassons correctement, à moins qu'un animal n'y ait trouvé refuge. La navigation à l'aide de ce qu'on nomme « waypoints » présente également l'avantage d'éviter toute dérive latérale liée au courant Parce que si vous palmez sur de plus longues distances sur un fond sableux "sans accident de terrain" et ne savez pas si vous dérivez du parcours latéralement, vous pouvez être dérivé si loin que vous passerez à côté de la destination, selon la direction du courant, à gauche ou à droite sans le remarquer. Cette dérive n'est pas perceptible sur la boussole, et non plus par nos sens. Afin de détecter une éventuelle dérive latérale par le courant, regardez les plantes qui "flottent" dans le courant ou prenez une poignée de sable et laissez-la couler de votre main vers le bas. Le sable vous indiquera la direction et la force du courant.

Vous pouvez ensuite réagir et ajuster légèrement votre cap vers la gauche ou la droite.

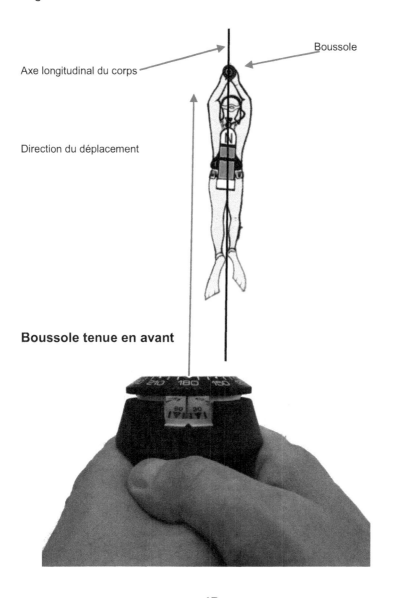

Axe longitudinal du corps

Direction du déplacement

Boussole

**Boussole tenue en avant**

Si vous avez maintenant une boussole sans fenêtre de visée latérale, procédez comme suit:

Comme indiqué dans les pages précédentes, vous visez l'objet et assurez-vous à nouveau de ne pas incliner la boussole. Visez pendant 10 ou 20 secondes pour que l'aiguille de la boussole se stabilise et s'arrête. Ensuite, abaissez lentement la boussole sans changer votre position ou celle de la boussole. Abaissez la pour pouvoir lire facilement le nombre de degrés pointé par l'aiguille. Vous pouvez maintenant mémoriser ou noter le nombre de degrés , ou vous pouvez également tourner la couronne rotative de votre boussole de sorte qu'un marquage, une flèche ou les deux repères de visée se trouvent exactement au-dessus de la position de l'aiguille.

**Boussole après le pointage, mais avant la rotation de la couronne**

## Boussole après rotation de la couronne

J'ai décidé d'utiliser les deux "repères" comme aide au relèvement. Maintenant, je plonge à nouveau sans changer de position au-dessus du fond et je me stabilise à nouveau. Comme je n'ai plus de fenêtre d'observation pour m'orienter, je dois tenir la boussole devant moi de façon à pouvoir toujours la regarder par le haut en abaissant les bras pour la lecture des chiffres du cadran. Maintenant, pendant mon parcours, je dois m'assurer que l'aiguille de la boussole reste toujours entre les deux repères en plastique et que je puisse ainsi conserver mon cap. Mon conseil : recherchez également des waypoints. S'il n'y a pas de waypoint pour vous aider dans votre parcours, vous devez porter une attention particulière à la boussole et continuer à vérifier que l'aiguille puisse tourner librement. Et si parfois votre navigation ne vous donne pas toujours satisfaction, n'en soyez pas frustré. Aucun maître n'est encore tombé du ciel et même le plongeur le plus expérimenté «rate parfois son cap». Il y a aussi certains phénomènes qui peuvent amener, même le meilleur navigateur sous-marin, au bord de la folie

.

## 2.7 Perturbations de la Boussole

Comme déjà dit plusieurs fois, l'aiguille de la boussole s'aligne avec le champ magnétique terrestre. Du moins la plupart du temps. Bien entendu, une telle aiguille ne sait pas si le champ vers lequel elle est dirigée est le champ magnétique terrestre ou un autre champ magnétique. Cela dépend simplement du champ magnétique le plus puissant ou de la force résultante de tous les champs existants. Et c'est exactement ce qui fait parfois désespérer les plongeurs. Mais sérieusement, comment pourrions-nous savoir qu'un câble électrique d'alimentation traverse notre site de plongée préféré, que la société de services publics municipale, afin d'économiser du câble, l'a enterré non pas sur la terre ferme en contournant le lac, mais sous le fond de ce lac ? Le problème avec ce qu'on appelle des "conducteurs électriques porteurs de courant (c'est-à-dire les câbles), c'est qu'un champ magnétique se crée autour du conducteur en raison du flux de courant, et ce champ magnétique est plus fort ou moins fort selon l'intensité du courant. De plus, les métaux, en particulier le fer ou l'acier, concentrent les lignes de force du champ magnétique terrestre, et influencent ainsi l'aiguille de la boussole. Dans l'exemple dans le film, vous pouvez voir l'influence du boîtier en aluminium sur l'aiguille de la boussole.

À strictement parler, tout ce qui est métallique dévie l'aiguille de la boussole dans une plus ou moins grande mesure et le courant qui circule dans une lampe de plongée allumée dévie également l'aiguille. Voir le film.

Alors ne soyez pas surpris lors d'une plongée de nuit, si vous sortez de l'eau dans un endroit que vous n'avez jamais vu auparavant. Cela peut être dû au fait que vous avez changé votre lampe de plongée de la main droite vers la main gauche et que votre boussole s'est «ajustée» à cette nouvelle situation. Il en va naturellement de même pour tous les autres instruments ou appareils dans lesquels circule le courant électrique. En plus de la lampe de plongée, cela pourrait également être un ordinateur de plongée ou un scooter sous-marin. Tant que la position de votre montre de plongée, de votre bouteille d'air comprimé, etc. sur le corps ne change pas, son influence sur l'aiguille de la boussole ne change pas. De simples changements, y compris l'allumage ou l'extinction de la lampe de plongée ou le passage à la lampe de secours, perturbent la boussole. En parlant de redondance dans l'équipement, essayez de tenir deux boussoles côte à côte pour le plaisir de découvrir qu'une boussole de secours n'est pas une bonne idée car les deux boussoles s'influencent fortement l'une l'autre.

Cependant, l'influence de tous ces facteurs (métal, électricité, etc.) diminue avec l'augmentation de la distance par rapport à la boussole, de sorte que vous pouvez bien sûr toujours utiliser votre lampe de plongée. Il faudrait tout simplement ne pas la tenir juste à côté de la boussole. Les épaves, ponts et autres pièces métalliques, qui peuvent également être invisibles, sous le fond de sable influencent l'aiguille de votre boussole. Assurez-vous donc toujours que l'aiguille ne fait pas soudainement des «sauts» que vous ne pouvez pas expliquer. Si possible, informez vous au préalable de tout ce qui pourrait influencer votre boussole sur ce site de plongée. Parce que vous ne pouvez pas toujours faire surface lorsque vous le devez. Et même si vous pouvez faire surface, cela ne signifie pas automatiquement que vous savez où vous êtes. Sur un site de plongée dans la mer Baltique, où il y a un très grand récif artificiel, qui était autrefois une installation militaire, j'ai eu une belle expérience. J'allais juste dans l'eau avec mon copain quand un instructeur est arrivé avec un groupe de plongeurs hollandais. Après une bonne demi-heure, nous nous sommes sortis pour nous reposer un peu sur le béton avant de continuer la plongée. Entre-temps, cependant, du brouillard s'était formé et la visibilité sur l'eau n'était plus que de quelques mètres. Sans boussole et sans connaissances locales, il était désormais impossible de retrouver le chemin du rivage. Peu de temps après, quelques plongeurs hollandais se sont signalés par un bouillonnement massif et ils sont apparus à côté de nous. Mais aucun d'eux n'avait de boussole avec eux et aucun d'eux ne connaissait l'aspect du site sous l'eau, ils ont tous regardé le brouillard très tristement. Je dois admettre que lorsque les Néerlandais poussent des jurons, cela paraît vraiment impressionnant. Cependant mon copain et moi avons ensuite ramené ces collègues hollandais au rivage en toute sécurité , dans le cadre d'une entente internationale cordiale, qui a été récompensée avec une bouteille de genièvre.

Maintenant, nous avons beaucoup appris sur la boussole et le relèvement et savons également que la boussole peut être facilement perturbée. Nous arrivons maintenant aux possibilités offertes par les relèvements

## 2.8 Relèvement en ligne droite

Supposons le cas suivant: nous y plongeons détendu et insouciant et trouvons soudain quelque chose de grand, un trésor ou quelque chose comme cela. Oui, je sais, c'est peu probable, mais nous le supposons. Puisque nous n'avons pas avec nous le pied de biche dont nous avons besoin pour ouvrir le coffre, , nous devons nous souvenir de ce point. Il n'est pas question de placer une bouée, sinon d'autres plongeurs pourraient devenir curieux et le trésor disparaîtrait. Nous faisons donc surface directement au-dessus du coffre au trésor et cherchons un objet fixe remarquable sur terre, c'est-à-dire un arbre, un phare ou autre, mais qui ne peut pas changer de place. Nous visons maintenant cet objet avec la boussole et lisons le nombre de degrés, qu'on note sur une tablette. Ensuite nous palmons en surface en ligne droite vers cet objet, et comptons par exemple, le nombre de coups de palme ou le temps qu'il nous faut pour atteindre la rive. Là, nous notons ces nombres (relèvement et distance). La détermination de cette distance est assez imprécise, mais il n'y a pas d'autre possibilité pour nous si nous n'avons pas avec nous un système sonar décrit ci-dessus. Là, sur la rive, nous marquons, bien entendu aussi discrètement que possible, le point où nous sommes sortis de l'eau. Ce marquage n'est pas absolument nécessaire car on peut aussi prendre le relèvement de la rive à notre objet (arbre ou phare), mais c'est plus simple et plus rapide avec un tel marquage. Maintenant, nous avons avec nous les outils nécessaires, nous retournons au point marqué sur la rive. Cependant, parce que nous palmons maintenant vers notre point et non vers le rivage, nous devons déterminer le cap inverse que nous devons suivre pour revenir au coffre au trésor

.

Le cap inverse est toujours le cap que nous avons suivi précédemment, plus ou moins 180 degrés, c'est-à-dire exactement l'opposé. Donc, si nous avions auparavant un relevé de 63 degrés, nous devons ajouter 180 degrés aux 63 degrés, donc 243 degrés. Maintenant, nous palmons dans la direction de 243 degrés selon le nombre de coups de palme ou le temps que nous avons noté et ensuite, idéalement, nous arriverons exactement au coffre au trésor (voir croquis à la page suivante). Mais ne soyez pas déçu si vous n'arrivez pas exactement sur le site. Si tel avait été le cas, vous auriez été très chanceux. Mais si vous avez maintenant un petit lest avec vous (un lest en plomb ou une pierre), vous pouvez utiliser un fil pour parcourir des cercles concentriques, c'est-à-dire des cercles avec un rayon toujours croissant, autour de cet endroit et retrouver votre trésor. Dans ce contexte, je recommande le cours de spécialisation IDA SK "Recherche et récupération".

# Relèvement en ligne droite

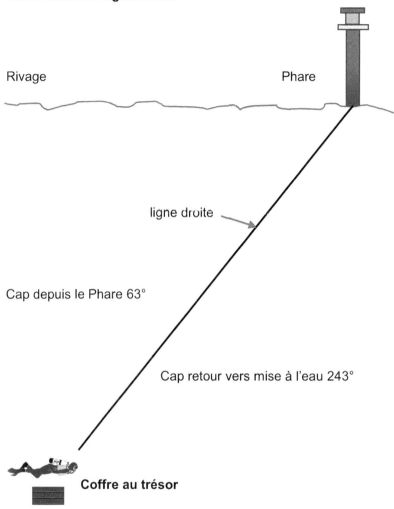

Rivage                    Phare

ligne droite

Cap depuis le Phare 63°

Cap retour vers mise à l'eau 243°

**Coffre au trésor**

Distance de l'objet jusqu'au rivage / plage : 362 coups de palme

## 2.9 Les Relèvements croisés

Effectuer un relèvement simple en ligne droite est une bonne chose, mais un relèvement augmentera en précision si nous intégrons plus de facteurs. Donc, si nous avons plusieurs points de repères fixes, tels que des arbres ou des phares, nous pouvons donc déterminer plus précisément notre emplacement au moyen de ce qu'on appelle des relèvements croisés, ce type de relèvement est préférable quand c'est possible.

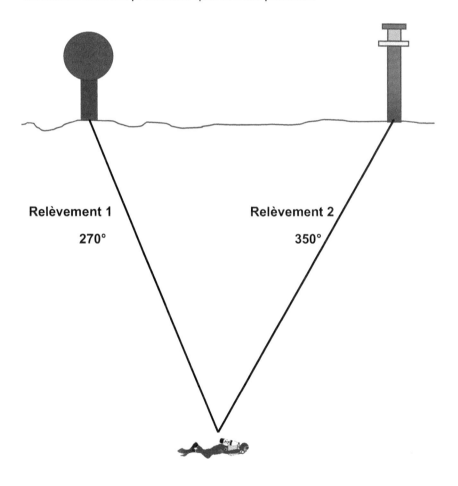

Relèvement 1          Relèvement 2
270°                  350°

Pour trouver notre point de départ, à partir duquel nous avons fait les deux relèvements, nous palmons en suivant l'alignement depuis le phare (350 ° plus 180 ° = 170 °) ou selon l'alignement depuis l'arbre (270 ° plus 180 ° = 90 ° ) en suivant le cap correct jusqu'à ce que nous ayons atteint le point où nous pouvons trouver les deux objets sur les relèvements notés précédemment (arbre 270 ° et phare 350 °). Si ces deux relèvements sont corrects, nous avons de nouveau atteint notre point de relevé précédemment et sommes alors arrivés exactement là où nous voulions.

## 2.10  La Dérive

La dérive décrit l'écart par rapport à l'objectif attendu. En effet, si nous palmons vers un point en fonction d'un relèvement qui a été fait, mais que, même si nous estimons que la direction et la distance sont correctes, nous ne pouvons toujours pas y arriver, il peut y avoir diverses raisons.

Par exemple, un léger courant, comme mentionné quelques pages plus tôt, peut en être responsable. Ce courant peut venir de côté, mais aussi de face. Selon la force du courant, nous pouvons le ressentir ou non. L'astuce avec le sable qu'on fait couler de la main peut ici nous aider.  Si le courant vient de côté, on peut palmer vers le but sans le remarquer. S'il vient de l'avant ou de l'arrière, les informations de distance ne sont plus correctes et nous pourrons peut-être atteindre notre destination plus rapidement, ce qui n'est pas si mal. Ou cela nous prend plus de temps pour y arriver, ce qui peut être déroutant.

De plus, nous ne palmons pas toujours tout droit, car nous avons souvent une jambe forte et une jambe moins forte. Par conséquent, nous palmons avec une légère dérive à gauche ou à droite, ce qui nous mènera surement au-delà du but et à une plus longue distance

.

Pour déterminer cette dérive nous recherchons à la surface un point à max. 50 mètres de distance, où nous devrions arriver. En supposant qu'il n'y a pas de courant latéral, et que nous ne soyons pas dans une piscine pour que nous puissions nous orienter, quoique inconsciemment, sur les carrelages, nous palmons sous l'eau le plus droit possible vers notre objectif relevé

Après 50 coups de palmes, nous faisons surface et voyons si nous sommes toujours dans le bon alignement ou si nous avons dérivé. Si nousconstatons alors une dérive à gauche ou à droite, nous accordons une attention particulière à la jambe "faible" et essayons de la renforcer. Ou bien, nous essayons de ralentir un peu la jambe forte afin de palmer le plus droit possible. Bien sûr, ce n'est qu'une méthode approximative pour suivre une ligne aussi droite que possible, mais pour autant que je sache, il n'y a pas de formule mathématique simple. La méthode la plus sûre est toujours le relèvement par la boussole en utilisant des waypoints. Exercez vous à l'utilisation de la boussole « au sec » pour que vous en ayez une petite expérience sous l'eau. Par exemple, vous pouvez imposer un parcours sur un terrain de football (libre) ou une pelouse appropriée et noter le relèvement et le nombre de pas. Ensuite mettez vous à un point donné du parcours et placez une serviette de bain sur votre tête pour voir la boussole et vos pieds, mais rien d'autre.

Au lieu d'une serviette de bain vous

pouvez aussi utiliser un seau.

Quoi que vous utilisiez, cela aura

toujours l'air un peu étrange !.

Suivez maintenant le parcours en fonction du relèvement et du nombre de pas. Si vous n'avez pas incliné la boussole et que la direction est correcte, vous devez arriver exactement à votre destination. Pratiquez ainsi avec des parcours triangulaires et carrés. Si vous obtenez de bons résultats « à sec », vous pouvez alors vous aventurer sous l'eau. Il est bien sûr préférable de suivre un cours de boussole avec un Instructeur de plongée en qui vous avez confiance, ou sous une direction qualifiée.

### 2.11 Exemple de Parcours

<u>Parcours en ligne droite</u>

Cap  = 90°

Cap retour = 270°

<u>Parcours en triangle</u>

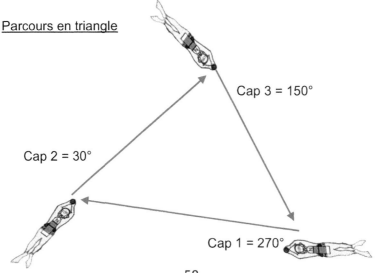

Cap 3 = 150°

Cap 2 = 30°

Cap 1 = 270°

58

Dans le cas d'un parcours triangulaire, les changements de cap sont toujours de 120 °. Si vous tournez vers la droite, ajoutez les 120 ° au parcours précédemment suivi. Si vous tournez à gauche, soustrayez les 120 ° du cap précédent. Donc pour arriver au point de départ, il faut ajouter 120 ° 3 fois, ce qui correspond au cercle de 360 °. Donc, théoriquement, vous parcourez un cercle et devez donc arriver à nouveau au point de départ

.

Il en va de même pour le

Parcours en rectangle ou en carré

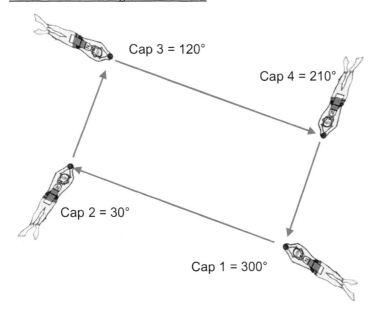

Cap 3 = 120°

Cap 4 = 210°

Cap 2 = 30°

Cap 1 = 300°

Ici aussi, nous revenons lorsque nous additionnons les changements de cap individuels de 90 ° jusqu'à 360 °

Voilà pour la théorie et la pratique ultérieure. Malgré tous les soins et l'expérience, il peut toujours arriver que vous «plongiez» et n'arriviez pas là où vous aimeriez être arrivé. En règle générale, ce n'est pas une catastrophe et tous que nous soyons homme ou femme, nous évoluons avec nos réussites et nos erreurs. Donc, si vous vous trouvez plus ou moins désespéré au fond de la mer ou d'un lac et que vous ne savez plus quoi faire ensuite, restez calme et détendez-vous. Personne dans la panique n'a encore trouvé une bonne solution au problème.

Acceptez votre niveau de connaissance et demandez à votre partenaire s'il a une idée d'où vous vous trouvez alors. Comme il comptait probablement entièrement sur vous parce qu'il n'est pas lui-même exactement un « professionnel de la boussole », vous ne pourrez que hausser les épaules. Et cela n'a pas d'importance car, si les conditions le permettent, remontez en surface et prenez un nouveau cap. Bien sûr, ne remontez pas en surface s'il y a des bateaux, des navires, des voiliers ou des surfeurs au-dessus de vous, car cela pourrait finir par être douloureux. Dans ce cas, prenez un cap vers le rivage, que vous en tant que "plongeur expérimenté" avez toujours noté ou mémorisé, et dirigez-vous vers la rive. Là, vous pouvez, en règle générale, sortir en toute sécurité. Mais faites toujours attention aux autres amateurs de sports nautiques, car les surfeurs aiment arriver sur leur planche directement sur le rivage. Restez vigilant et identifiez les dangers avant la plongée. Il est préférable de ne pas plonger dans un plan d'eau très fréquenté, Si vous voulez le faire malgré tout, vous devez alors être si familiarisé avec le site qu'il ne vous est pas possible de perdre vos repères.

Et maintenant j'espère que vous aimerez pratiquer

### 3.0 Direction de Palanquée

Curieusement, la plupart des plongeurs ne se poussent pas pour diriger la palanquée lors d'une plongée. Il y a certainement de nombreuses raisons à cela, mais bien sûr l'une est la peur de l'échec et l'autre parce que généralement le chef de palanquée et fortement occupé par les autres partenaires de plongée et ne profite pas de la plongée, mais assume également une grande responsabilité.

Selon le site, la visibilité, la température de l'eau et les compagnons de plongée, les directions de palanquées peuvent être plaisantes ou punitives.

Il y a de nombreuses années, j'ai plongé à Antigua dans un centre de plongée qui n'a pas hésité à envoyer un seul instructeur avec 17 (dix-sept) plongeurs dans l'eau. La palanquée s'est étirée le long du récif sur près de 50 mètres et le moniteur de plongée ne pouvait voir que les 2 ou 3 premiers plongeurs, les 14 ou 15 restants n'étaient pas visibles par lui en raison de la structure du récif et de l'eau légèrement trouble. Je n'ai jamais vu un plus bel exemple de la façon dont cela ne devrait pas être fait. Mais ce n'est pas demain que cela finira

### 3.1 But du Cours

Le participant doit être familiarisé avec les éléments de base de la direction de palanquée et de sa mise en oeuvre en théorie et en pratique. Après avoir terminé le cours, il devrait

- connaître les éléments de base de la direction d'une palanquée,

- Avoir l'expérience des rapports entre les plongeurs au sein de la Palanquée

- Peut évaluer les membres de la palanquée

- Est capable de diriger les membres de la palanquée

- peut assurer la communication au sein de la palanquée,

- pouvoir assurer la sécurité de la palanquée en surface et sous l'eau,

- connaître les tâches de la palanquée de sécurité

## 3.2 Prérequis

Un chef de palanquée porte des responsabilités et doit donc toujours pouvoir réagir de manière appropriée aux problèmes et garantir des plongées en toute sécurité. Il devrait avoir les compétences suivantes:

Bonne condition physique pour pouvoir porter assistance à des personnes en cas d'urgence.

Des connaissance approfondie de la théorie de la plongée et de la nature humaine pour identifier à l'avance les problèmes et être en mesure d'y réagir.

Doit pouvoir effectuer des calculs de plongées, même celles nécessitant une décompression, sans aucun problème.

Doit avoir une expérience de plongée, et pas seulement en un plan d'eau local.

Doit pouvoir gérer les urgences et administrer les premiers soins, y compris la réanimation cardio-pulmonaire.

Avoir plaisir à plonger et pouvez le transmettre.

Être capable de servir de modèle.

Son équipement de plongée doit être à la pointe de la technique

Et il doit pouvoir le maîtriser parfaitement

### 3.3 Quelles sont les méthode de Direction de Palanquée?

Pour chaque type de palanquée, il existe une façon optimale de diriger le groupe et malheureusement aussi une façon de ne pas le faire correctement.

**Méthode „Laissez faire"**

Ou encore : « laissez-les faire, ça marchera ! ».

Le chef de palanquée laisse chacun faire ce qu'il veut et n'a aucune influence sur l'individu. Cette méthode ne convient qu'aux compagnons de plongée extrêmement familiers. Cette méthode ne peut être utilisée que si les compagnons de plongée se connaissent très bien et peuvent compter à 100% les uns sur les autres. Donc, dans environ 99% des cas, cela ne convient pas !

**Méthode Autoritaire**

Le chef de palanquée fait preuve de compétence et de supériorité dès le départ et ne tolère aucune contradiction. Cette méthode peut convenir aux militaires, mais n'est pas optimale pour la plongée loisir. La plongée devrait et peut certainement être un plaisir et un chef de palanquée qui se comporte comme un sous-officier ne contribue certainement pas à la joie, même s'il est un très bon chef de palanquée.

**Méthode en Coopération**

Le chef de palanquée précise la direction générale, car en dernier ressort c'est lui qui porte la responsabilité, Mais le déroulement de la plongée est discuté et déterminé au préalable avec tous les membres de la palanquée. Bien sûr, les membres de la palanquée doivent également s'en tenir à ce qui a été discuté et accepté par le groupe. Voir aussi:

**„Plan your dive and dive your plan!"**

Mais même avec cette méthode de gestion, le chef de palanquée est finalement celui qui doit avoir le dernier mot et celui qui définit la direction et le comportement du groupe. Parce qu'il est responsable de l'ensemble de la palanquée.

**Conclusion: Un mélange sain des trois méthodes de gestion est la meilleure méthode, qui sera adaptée aux membres de la palanquée.**

### 3.4 Planification de la Plongée

Le chef de palanquée doit planifier la plongée du début à la fin, garantissant ainsi que la plongée sera agréable et sûre. Cela comprend

**Le Choix du site**. Tout le monde n'aime pas un trou d'excavatrice et le site doit aussi convenir aux autres plongeurs. Y a-t-il des courants dangereux? Doit on s'attendre à un flux et un reflux? Quel est le profil de profondeur? Quelle est la profondeur maximale qui est à prévoir. La plongée y est-elle autorisée ou s'agit-il d'une zone militaire réglementée ou d'une zone de protégée? Pouvez-vous vous attendre à des filets de pêche ou à des casiers à poissons? Existe-t-il une exigence de certification minimale ou des restrictions locales d'accès? Y a-t-il des choses intéressantes sous l'eau, telles que des épaves, des grottes marines, des avions ou des excavatrices? Y a-t-il des navires commerciaux, tels que des ferries réguliers ou des pêcheurs, qui tirent des chaluts derrière le bateau?

**Veiller au conditions de l'environnement.** Il y a des sites de plongée qui ne sont pas ou moins adaptées à la plongée avec un groupe en raison de divers facteurs, Par exemple, lieux de frai ou d'éclosion dans les roseaux ou sur le rivage. Les espèces animales agressives, par exemple les cygnes, peuvent blesser les plongeurs, le brochet peut mordre et d'autres amateurs de sports nautiques peuvent être dangereux pour les plongeurs. Un compresseur peut-il être installé et utilisé, ou y a-t-il un problème avec lui? Y a-t-il des toilettes ou dois-je prendre une pelle avec moi? ☐ Y a-t-il des accès appropriés de mise à l'eau sans détruire l'environnement ou déranger les animaux? Cette liste peut certes être allongée, mais le chef de palanquée doit s'assurer que «ses» plongeurs ne sont pas en danger et que la plongée et les «après plongée» se déroulent harmonieusement.

**Choix du type de Plongée.** Des compétences spéciales sont-elles requises pour le type de plongée prévu? Plongée sous glace, plongée de nuit, plongée dérivante. Les plongeurs ont-ils ces compétences? Les plongeurs sont-ils en bonne santé et ont-ils un certificat médical d'aptitude à la plongée? Devez-vous filmer ou photographier? Est-ce une plongée d'entraînement ou une plongée d'exploration pure?

**Comment le groupe se déplace-t-il?** En voiture? Le covoiturage peut-il être proposé? Y a-t-il suffisamment de places de stationnement sur place? Le stationnement y est-t-il autorisé?

**Tous les plongeurs ont-ils un équipement de plongée complet et fonctionnel, et convenant à la plongée prévue?** Le chef de palanquée doit vérifier à cela. Un pavillon alpha doit-il être hissé pour attirer l'attention sur le groupe de plongée? En général, un pavillon alpha doit toujours être hissé, mais moi, bien que défenseur du pavillon alpha, je dois également admettre qu'il existe des plongées où vous pouvez vous en passer. Si, par exemple, un plongeur de « balle de golf » plonge dans un étang de 1 mètre de profondeur sur le terrain de golf pour améliorer son petit salaire, le drapeau alpha peut bien rester dans la voiture. En supposant qu'un plongeur de sécurité se tient au bord de l'eau et fait attention. Avez-vous besoin de détendeurs adaptés à l'eau froide? Matériel d'urgence (oxygène et trousse de premiers soins)?

**Organisation de la Palanquée** Qui plonge en « serre-file » et fait attention à la cohésion de la palanquée? Quelle est la taille de la palanquée en tenant compte du type de plongée et de visibilité sous l'eau?

**Gestion des Urgences.** La mallette à oxygène et la trousse de premiers soins sont-elles accessibles à tous? Un téléphone est-il accessible à tous? Connaissez-vous les numéros de téléphone à appeler en cas d'urgence? Un DEA (défibrillateur externe automatique), st-il disponible ? Où se trouve-t-il et peut-il être mis en œuvre par tous ?

**Calculs de la Plongée.** La plongée telle que planifiée est-elle réalisable pour tous les plongeurs, en fonction de la taille de la bouteille d'air comprimé et du VRM individuel (Volume Respiratoire par minute)?

**Plongée depuis un Bateau?** Si la plongée doit être effectuée depuis le bateau, le chef de palanquée doit vérifier avec le capitaine si tout est en ordre et si toutes les précautions ont été prises. Mais si le chef de palanquée est en charge du bateau, il doit prendre toutes les précautions, comme elles doivent l'être. Le bateau est-il approprié à l'usage? Taille, sièges, radio, équipements de sauvetage, toilettes, etc.! Les bouteilles d'air comprimé peuvent-elles être remplies à bord lors de trajets plus longs? Existe-t-il des dispositifs de rangement  sûrs et stables pour les Blocs, en particulier par mer forte ou par mer agitée? Y a-t-il des repas (eau et nourriture) à bord? La plupart des points mentionnés ci-dessus peuvent bien sûr être négligés si seulement deux ou trois plongeurs partent pour un court trajet avec un semi-rigide ou un petit bateau à moteur.

**Météo!** Par mauvais temps (Il faut le définir, je sais), vous ne devriez pas plonger. La pluie n'est pas nécessairement une raison pour annuler la plongée, mais les tempêtes et les orages le sont.

**Composition de la Palanquée!** La composition de la palanquée dépend de plusieurs facteurs. Il y a la règle dite des 4 étoiles, qui stipule que deux plongeurs doivent avoir ensemble au moins 4 étoiles pour pouvoir plonger ensemble. Donc deux plongeurs 2 étoiles ou un plongeur 1 étoile avec un plongeur 3 étoiles. Mais pour quatre plongeurs 1 étoile ce n'est évidement pas valable !. Si le chef de palanquée a plusieurs palanquées à constituer, il ne peut bien sûr plonger qu'avec un seul groupe et le diriger. Par conséquent, il doit y avoir un chef de palanquée compétent pour chacune des autres palanquées. Le plongeur le plus expérimenté dirige la palanquée et le plongeur le plus faible et/ou le moins expérimenté détermine le rythme et la durée de la plongée. Et puisque nous avons tous commencé à plonger à un moment donné, nous devons comprendre les inexpérimentés et nous ne nous plaindrons pas si la plongée ne dure que 15 minutes. Lors de la prochaine plongée, la palanquée pourra alors être constituée différemment. S'il y a des tensions entre différents plongeurs, ces plongeurs ne doivent pas être mis dans la même palanquée. Parfois, il est logique de séparer les couples, uniquement lors de la plongée, bien sûr, et de les répatir dans les différentes palanquées. Beaucoup de personnes mariées savent pourquoi cela peut avoir un sens et je ne veux pas entrer dans les détails. Il est également logique de créer les palanquées de la manière la plus homogène possible, c'est-à-dire de manière uniforme, afin que 3 plongeurs très expérimentés qui souhaitent plonger longtemps et profondément (max.40 mètres) ne se voient pas attribuer un débutant avec 10 plongées. Bien que le débutant puisse apprendre beaucoup des professionnels. Mais il est plus logique de rassembler des plongeurs ayant des compétences similaires dans une palanquée. Cependant, si le chef de palanquée doit diriger un groupe dont il ne connaît pas les membres, il doit d'abord se renseigner sur les compétences des différents membres de la palanquée. Cela se fait principalement à par des discussions, mais comme les plongeurs ont souvent tendance à se surestimer et à se décrire dans des couleurs les plus éclatantes (principalement des hommes ☺), le chef de palanquée doit également parler avec autres plongeurs et vérifier les documents de plongée (passeport du plongeur, logbook, cartes de brevets, Aptitude médicale à la plongée). Cela aide également d'observer les plongeurs lorsqu'ils s'équipent. Qui est expérimenté, rapide et professionnel? Qui sautille sur une jambe parce qu'il ne peut pas mettre le pied dans le chausson? Qui met sa combinaison de plongée à l'envers ou qui a une combinaison de plongée inadaptée à l'eau et aux conditions ?

### 3.5 Briefing!

Le briefing est une discussion préliminaire juste avant la plongée. Le mot vient de l'anglais et signifie «briefing ou annonce». Le briefing doit contenir tout ce que les plongeurs doivent savoir pour la plongée qui va être faite.

L'état actuel des plongeurs concernant la santé, l'alcool résiduel, les drogues, le rhume, les peurs, etc.!

Le profil de plongée prévu, c'est-à-dire la profondeur et la durée.

La chaîne des secours. Où est quoi? Téléphone ou radio? Numéro de téléphone ou personne de contact sur le canal 16 (canal d'urgence et d'appel). Équipement d'oxygénothérapie? Valisette de secour? Les outils et / ou les cordes pour le sauvetage et la récupération? DEA?

Le filet de sauvetage du bord (berceau de Jason) ou les échelles de remontée. Les signaux de détresse.

Particularités ou dangers sous l'eau. Les courants?

Conditions environnementales. Météo, températures et leurs effets possibles (par exemple givrage), marées, houle, visibilité, brouillard.

Type de plongée. Plongée photo ou video ou ... ..

Composition de la palanquée

Distribution des tâches, en surface et sous l'eau.

Etablissement des procédures. On fait quoi? Par exemple en cas de perte d'orientation ou de perte de compagnon?

Montrer à nouveau les signes sous-marins. Eventuellement les signes spéciaux?

**Vérification des Equipements!**

Bien sûr, chaque plongeur garde toujours son équipement propre, rangé et entièrement fonctionnel, car sa vie pourrait en dépendre. Mais le chef de palanquée doit toujours vérifier de près les équipements afin qu'en cas d'urgence, il sache sur quel bouton appuyer en surface et sous l'eau, et si exactement ce qui est censé se produire se produit alors.

**3.6 Contrôle des Compagnons**

Le contrôle des partenaires est d'une grande importance pour la sécurité sous-marine. Il s'assure que chaque plongeur est entièrement équipé et que son équipement de plongée est aussi entièrement fonctionnel. Le partenaire peut également s'informer sur les conditions spécifiques de l'équipement de son partenaire. Il ne peut donc pas arriver que le klaxon sous-marin soit pressé lors du remplissage du gilet en cas d'urgence, ou qu'une vanne qui devrait être ouverte (par exemple la liaison entre blocs d'un Bi) soit en réalité fermée. Le fait que la boucle de la ceinture de lestage soit glissée vers l'arrière au lieu de l'avant est principalement dû à une négligence personnelle. La ceinture de lest doit donc être bien serrée, car l'épaisseur du néoprène diminue en descendant en raison de l'augmentation de la pression, mais les débutants l'oublient souvent.
De nombreux plongeurs ont mémorisé ce qu'on appelle un moyen mnémotechnique ou "pense bête" afin de ne rien oublier lors de la vérification du partenaire.
Il existe parmis les plongeurs francophones un "pense bête", pour la vérification de l'équipement : "**S**avoir **L**utter **Va A**ider"! (Note : adaptation française du traducteur)

Ci contre un « pense bête » allemand.

69

Il est ainsi facile en prenant la première lettre de chaque mot de trouver le point à vérifier

**S** puis **L,** ensuite **V** et finalement **A**!

**S** pour Stabilisation ou gilet de stabilisation.

**L** pour Lestage, ceinture de lest, plombs de chevilles.

**V** pour Vannes

**A** pour Air

### Vous vérifiez maintenant l'équipement de votre partenaire juste avant la plongée!

On commence par le **S** comme Stabilisation!

Le gilet est-il bien ajusté ou est-il trop grand ou trop petit ou trop serré? Un gilet trop grand glisse d'avant en arrière sur le corps et ne permet pas une position stable dans l'eau lors des déplacements. Il est possible de plonger avec, mais ce n'est pas plaisant.
Un gilet trop petit se trouve près du corps et peut avoir trop peu de volume pour vous maintenir à flot en cas d'urgence ou pour vous amener à la surface depuis une plus grande profondeur. Gardez à l'esprit que le gilet se dilate lorsqu'il est rempli et exerce ainsi une pression sur le haut du corps, ce qui peut provoquer un essoufflement. Ainsi, la sangle ventrale, qui est située directement sur le corps, peut idéalement rester bien serrée car elle ne change guère lors du remplissage de la veste. La sangle haute qui maintient les deux côtés du gilet ensemble au moyen des deux boucles, doit cependant être plus lâche pour que les côtés du gilet, lorsqu'ils sont complètement gonflés, ne resserrent pas le haut du corps du plongeur. De nombreuses vestes ont une autre sangle pour maintenir les deux bretelles ensemble. Pour la raison mentionnée ci-dessus, cela ne doit pas non plus être trop serré.

Sangle avant, ne doit pas être trop serrée.

Sangle abdominale, peut être serrée.

Deuxième sangle avant. Ne peut
pas non plus être trop serrée.

En général, les sangles qui maintiennent les côtés du gilet
doivent être plus lâches, car elles peuvent resserrer le haut du
corps lorsque la veste est gonflée au maximum, par exemple en
cas d'urgence. Et surtout qu'en cas d'urgence, vous ne pouvez
pas risquer d'avoir en plus votre respiration gênée. La ceinture
abdominale, qui s'applique directement sur le corps, limite peu la
respiration lorsque le gilet est gonflé. Vérifiez les réglages
corrects de votre gilet

Lors du contrôle des compagnons, gonflez complètement son gilet jusqu'à ce que la ou les soupapes de surpression réagissent. Vous avez donc vérifié la soupape de surpression, qui se trouve soit sur le dessus ou à l'arrière de la veste, Vous pouvez maintenant vérifier la sangle du haut et la ceinture abdominale de sorte que même avec le gilet complètement gonflé, aucune difficulté respiratoire ne puisse survenir chez votre compagnon de plongée. Vérifiez également l'ajustement de la ceinture abdominale. Ainsi, vous avez en même temps vérifié si le gilet peut être rempli avec l'inflateur. Maintenant, purgez l'air en utilisant l'un après l'autre tous le dispositifs de purge (bouton-poussoir sur l'inflateur du tuyau gaufré, éventuellement en tirant sur ce tuyau s'il est conçu pour cela, ainsi que les vannes de purge manuelle).

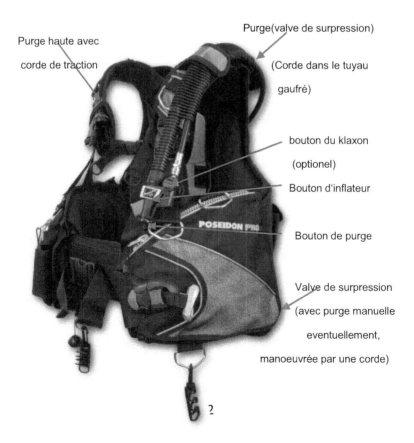

Purge haute avec

corde de traction

Purge(valve de surpression)

(Corde dans le tuyau

gaufré)

bouton du klaxon

(optionel)

Bouton d'inflateur

Bouton de purge

Valve de surpression

(avec purge manuelle

eventuellement,

manoeuvrée par une corde)

2

La plupart des fabricants ont prévu une soupape de surpression, ce qui devrait empêcher l'éclatement du gilet, qui est en même temps une option de purge d'air pour le plongeur pendant le processus d'immersion.

Après au moins quelques plongées, il est devenu évident pour la plupart des plongeurs que l'air, sous l'eau, remonte toujours et aime s'accumuler "en haut" lors de la plongée, il est donc logique de prévoir une autre vanne de purge au bas du gilet. Parce qu'en plongée lorsqu'on descente en canard, le bas de la veste est en haut. Vous pouvez ainsi faire sortir l'air au bas du gilet sans avoir à vous remettre « debout » sous l'eau. Laissez ces phrases décanter dans votre esprit, et alors vous comprendrez ce que je veux dire.☺

De nombreux plongeurs ont des pièces de rechange utiles dans les poches de leur veste, comme une sangle de remplacement pour les palmes ou une sangle de masque. Ces pièces sont utiles car les sangles ont tendance à se déchirer au moment de les mettre ou de les ajuster, et vous êtes généralement loin de la voiture, où souvent il n'y a pas non plus de réserve. Cependant, ces sangles de remplacement doivent également être vérifiées de temps en temps.

De plus, beaucoup ont une bouée de palier ou un dévidoir (une bobine avec un bout mince enroulé) sur le gilet, qui est souvent seulement accroché à l'un des anneaux en D. Ensuite, il y a éventuellement des lestages intégrés, qui sont situés dans des poches spéciales ou qui sont fixés de manière non professionnelle mais nécessaire, à un emplacement requis à l'aide d'attaches de câble. Vérifiez tout cela pour que ce soit correctement attaché afin que rien ne puisse se perdre en cours de plongée et ainsi la rendre inconfortable.

Beaucoup d'équipements peuvent être attaché aux anneaux en D des gilets. Une lampe, la boussole, un profondimètre, un appareil photo ... cette liste peut être longue et chaque plongeur décide quoi attacher et où. Seulement, cela doit être solidement fixé pour ne pas être perdu. Vérifiez également les trajets des tuyaux, parfois un tuyau glisse sous la veste lorsque vous la mettez et cela ne doit pas se produire. Tous les tuyaux doivent être libres et entièrement mobiles.

Lors de la vérification des partenaires, jetez un œil à tout pour que, dans une situation d'urgence qui, espérons-le, ne se produira jamais, vous sachiez ce que vous devez utiliser et comment.

Ainsi, le gilet est bien en place et toutes les fonctions sont vérifiées

Coché!

Maintenant **L** comme Lestage

Les lests remplissent deux fonctions:

Premièrement, ils compensent la flottabilité du néoprène; sinon, nous ne pourrions descendre en profondeur qu'avec de grands efforts. Deuxièmement, cela agit sur notre attitude sous l'eau, qui peut être optimisée en les ajustant.

Nous transportons généralement la principale quantité de plomb autour du ventre, qui est pratiquement au milieu de notre corps et facilite ainsi la position. Cela peut être une ceinture de poids standard ou les poches de poids intégrées dans notre gilet. Même avec un baudrier, qui est utilisée par certains plongeurs, le lest est situé approximativement au milieu du corps.

La position idéale sous l'eau est parallèle au fond marin, avec les jambes légèrement inclinées vers le bas. Nous pouvons donc regarder vers le bas et vers l'avant sans avoir à lever la tête continuellement

Si cette légère inclinaison ne se produit pas automatiquement lors de la plongée, vous devez modifier votre trim. Si vous attachez

74

des poids, appelés poids de trim, quelque part sur votre équipement ou sur votre corps, ce processus s'appelle le trim. Ces poids d'équilibrage sont des poids de plomb plutôt petits et se situent généralement entre 500 grammes et 2 kg. Certains gilets ont déjà de petites poches pour fixer des poids d'équilibrage Vous devez découvrir votre propre assiette personnelle avec votre propre équipement personnel. Cela peut prendre plusieurs plongées pour obtenir une assiette satisfaisante. Les plombs de cheville peuvent déjà aider à optimiser la position sous l'eau. Ces poches de poids peuvent être attachées aux chevilles avec du velcro. Essayez cela et cherchez où vous devez mettre quels poids. Soit dit en passant, les attaches de câble sont très bonnes pour fixer les plombs d'équilibrage à l'équipement. Les attaches de câble avec une languette en acier inoxydable sont préférées.

Il est évident que vous devrez ajuster le lestage si vous avez acheté un nouvel équipement (blocs, gilet, combinaison néoprène). Si vous trouvez votre position bonne sous l'eau sans poids d'équilibrage, tant mieux !

Enfin, « Last but not least »vous devez vérifier si votre partenaire peut également retirer la ceinture de lestage en cas d'urgence. Le gilet se trouve souvent juste au-dessus ou sur la ceinture de lestage, ce qui rend difficile l'ouverture de la boucle de largage rapide. Pour les débutants, cette boucle a également tendance à glisser sur le côté, ce qui rend l'ouverture encore plus difficile. Assurez-vous également que la ceinture de lestage passe pas sous une éventuelle sangle d'entrejambe du gilet, sinon elle s'y coincera lors du largage et empêchera ainsi l'ascension d'urgence souhaitée. À proprement parler, la ceinture de plomb standard et le gilet s'excluent mutuellement. D'après mon expérience, le gilet se positionne presque toujours de telle manière qu'il est difficile, voire impossible, d'accéder à la boucle de largage rapide après avoir enfilé le gilet. Même un resserrage lors de descente en profondeur croissante n'est pas toujours aisé, mais cela dépend aussi de la coupe du gilet. La seule solution que je connaisse pour ce problème est d'utiliser les poches de lests intégrées dans le gilet. Mon conseil: utilisez les poches de lests intégrées de la veste et non une ceinture de lestage standard.

**V** comme Vannes

Je n'ai certainement pas à expliquer ce qu'est une vanne ou robinet. Ces dispositifs de fermeture sont montés sur nos blocs de plongée à air comprimé et garantissent que l'air reste dans la "bouteille" ou, quand c'est souhaité, s'échappe de la "bouteille". Ci-dessous vous voyez un croquis d'une valve standard utilisée sur la plupart des bouteilles mono. Il existe de nombreux types de vannes, mais je ne les aborderai pas en détail ici.

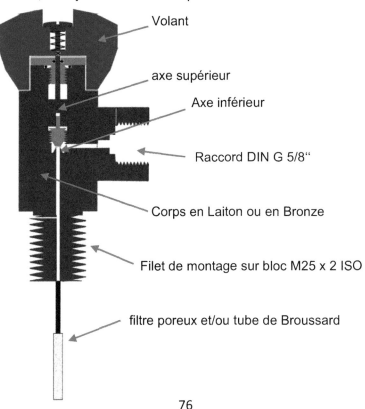

Volant

axe supérieur

Axe inférieur

Raccord DIN G 5/8"

Corps en Laiton ou en Bronze

Filet de montage sur bloc M25 x 2 ISO

filtre poreux et/ou tube de Broussard

Beaucoup de gens ont du mal à ouvrir ou fermer une vanne, ils ne savent dans quelle direction ils doivent tourner. Pour aggraver les choses, la position relative de cette personne par rapport à la vanne peut changer en fonction de la position réelle du plongeur. En règle générale, vous tournez un volant de vanne vers la droite lorsque vous souhaitez la fermer et vers la gauche lorsque vous souhaitez l'ouvrir. Si je suis tête vers le haut, et que je veux fermer ma valve principale avec ma main gauche, j'imagine simplement que je suis juste au-dessus de la valve et que je devrais donc tourner vers la droite. Cette façon de penser fonctionne plutôt bien, mais nécessite un minimum d'imagination.

Lors de la vérification du partenaire, je dois m'assurer que toutes les vannes de l'équipement de mon partenaire sont ouvertes au maximum. Cependant, quoique très rarement de nos jours, il existe des gilets, qui ont une sorte de bouteille d'urgence. Il s'agit d'une petite bouteille d'air comprimé, qui doit d'ailleurs être régulièrement envoyée à la réépreuve, avec un volume d'environ 0,5 litre et une pression de 200 bars. Cette bouteille sert à remplir le gilet en cas d'urgence et ne doit donc pas être ouverte avant la plongée. L'état de remplissage de cette bouteille ne peut pas être déterminé correctement sans l'ouvrir, et alors au moins une partie du contenu s'échappe. Je devrais vérifier, très brièvement pour entendre le bruit de l'air qui sort, et savoir ainsi si elle est sous pression, ou si seulement un petit souffle s'échappe. En cas de doute, je ne compterais sur une telle bouteille que si je la remplissais moi-même.

Ainsi, lors de la vérification du partenaire, je tourne alors toutes les vannes de l'équipement de mon partenaire vers la gauche et les ouvre ainsi. La plupart du temps, cela a déjà été fait par le plongeur lui-même, mais il est plus sûr de le vérifier. Les vannes doivent toujours être ouvertes au maximum afin qu'il y ait un débit d'air suffisant disponible, même à de plus grandes profondeurs. Parce que, selon la dimension d'ouverture de la vanne est grande, voir croquis à la page précédente, plus le passage de l'air vers le détendeur est grand. Et si je rencontre un requin pèlerin à 40 mètres, il y a une possibilité (presque certainement en fait) que j'aie besoin de beaucoup d'air en très peu de temps. Et puis c'est aussi réconfortant lorsque la vanne est grande ouverte et libère beaucoup d'air. Mais comme il y a des gens qui ont une forte poigne et peu de sensibilité, il est logique, après avoir ouvert la valve au maximum, de tourner à droite environ un demi-tour, mais pas plus !

Pourquoi ?

Pas plus d'un demi-tour en arrière, car sinon je vais encore réduire le débit d'air, ce qui n'a pas de sens

Et un demi-tour parce que les personnes mentionnées à la page précédente pourraient être en mesure de tourner la vanne si loin vers la gauche qu'elle se verrouille mécaniquement. Il est alors difficile ou très difficile pour le plongeur normal de déterminer si la valve est alors ouverte au maximum ou bien fermée. Indépendamment du fait que le disque de téflon du bouchon inférieur sera détruit par cette force brutale.

Donc, si lors de la vérification du compagnon, je la tourne **doucement** vers la gauche jusqu'à la butée, je tournerai environ un demi-tour vers la butée gauche si l'ouverture était correcte. Cela m'aidera à déterminer que la vanne est ouverte. Puis je l retourne d'un demi-tour vers la droite

C'est ainsi que je procède avec toutes les vannes (exception voir page précédente).

Donc, toutes les vannes sont ouvertes et on peut continuer !

**A** comme Air

«A» comme air signifie généralement tout mélange d'air respirable, y compris le Nitrox ou l'oxygène pour la décompression lors de plongées extrêmes. Bien sûr, juste avant la mise à l'eau, je ne peux pas vérifier quel gaz respiratoire se trouve dans la bouteille, mais au moins sur les autocollants prescrits, je peux vérifier si ce gaz respiratoire convient à la plongée prévue. Cependant, nous supposons un air respirable normal. Donc en fait du Nitrox 21. ☺

*Pour éviter tout malentendu, seuls les gaz respiratoires ayant une teneur en oxygène supérieure à 21% sont appelés Nitrox (EAN - Enriched Air Nitrox). Donc Nitrox 32, 36 ou 40. Le chiffre indique la teneur respective en oxygène du mélange gazeux. Mais ce n'est pas notre problème ici.*

Mais je peux vérifier en regardant le manomètre si la pression souhaitée est présente, comme cela devrait être avant une plongée. Soit environ 200 ou 300 bars, selon ce avec quoi vous plongez. Mais 200 bar est la pression de remplissage la plus courante chez les plongeurs loisirs.

Regardez le manomètre pendant que vous remplissez le gilet ou vérifiez l'un des détendeurs. Si l'aiguille du manomètre tombe pendant la prise d'air, quelque chose ne va pas. La raison peut être que la vanne n'est pas complètement ouverte ou que le manomètre n'affiche pas correctement. Dans un tel cas, il convient de s'assurer où le défaut se situe. Pour des raisons de sécurité, la plongée ne doit pas être effectuée tant que le défaut n'aura pas été trouvé et corrigé.

Vérifiez également tous les détendeurs pour vous assurer qu'ils fournissent de l'air de manière satisfaisante. Maintenant, vous ne pouvez ni exiger que vous essayiez personnellement tous les détendeurs, ni que vos partenaire pense qu'il serait bon que vous «aspiriez» sur leurs détendeurs. Ce qui est acceptable sous l'eau, puisque le détendeur, ou plus précisément l'embout buccal, est rincé lors des échanges d'embout entre les respirations individuelles, c'est plutôt insalubre au dessus de l'eau Tout le monde ne veut pas prendre dans sa propre bouche, le détendeur, qui est bien « humecté » par le partenaire, sans le rincer, et ici je suis d'accord avec cela. Par conséquent, à mon avis et selon mon expérience, il suffit de s'assurer du fonctionnement du détendeur en appuyant plusieurs fois sur le bouton de purge. Cependant, protégez vous car l'air qui s'échappe peut également entraîner du sable, des petites pierres ou également, après un long stockage dans la cave, des organismes "spécifiques à la cave". Dirigez toujours l'ouverture de manière à ce que vous ne puissiez blesser personne par une "décharge d'araignée". Vous souriez probablement maintenant, mais attendez et voyez; Vous seriez étonné de ce qui peut s'y trouver. ☺ Mon compagnon de plongée avait un jour un nid de souris dans la partie du pied gauche de son costume sec C'est encore un mystère pour nous de savoir comment l'animal y est entré et en est sorti.

Enfin, fixez les détendeurs sur l'équipement de votre partenaire afin que la deuxième détendeur ou l'octopus ne traîne pas sur le dessus du récif ou sur le fond de la mer ou du lac, et n'endommage pas non plus l'environnement.

### Autres

Lorsque vous avez terminé toute cette procédure, jetez un coup d'œil à ce que votre partenaire à avec lui.

A-t-il son masque avec lui?

Palmes?

Gants?

Couteau?

Tuba?

Ordinateur, ou montre, profondimètre et Table Deco?

Equipements spéciaux? Lampe, Parachute (si nécessaire),

Filet pour collecte des déchets?

Appareil photo?

Pavillon Alpha? Tâche du Chef de Palanquée!!

Etc.....

Rappelez également à nouveau les signaux sous-marins avant chaque plongée. Tout le monde devrait être capable de maîtriser «aveuglément» les signaux habituels. Les signes spéciaux doivent être convenus au préalable. Cela est important, surtout avec des compagnons de plongée étrangers.

Maintenant, vous pouvez enfin plonger. Mais arrêtez-vous avec votre partenaire à 3 à 5 mètres de profondeur et faites une vérification rapide. Le tarage fonctionne-t-il? Les détendeurs fonctionnent-ils **tous** correctement? Y a-t-il des pièces d'équipement qui ont des fuites?

Quand tout a finalement été vérifié plusieurs fois, rien ne s'oppose à une plongée détendue!

Et rappelez-vous toujours: **On plonge pour le plaisir!**


Maintenant que vous avez lu tout les textes précédents sur les vérifications du compagnon, vous avez peut-être pensé préférable d'aller plutôt jouer au golf?

Soyez rassuré Après quelques plongées, vous et votre compagnon avez assimilé complètement la vérification du partenaire, de telle sorte que cela ne prenne pas plus de deux ou trois minutes. D'autant plus que vous serez bien vite habitué à l'équipement de votre «partenaire habituel» et qu'un tel contrôle de partenaire se fera très rapidement. Mais s'il vous plaît ne soyez pas négligent

**3.7 Tâches de Chef de Palanquée!**

Outre le fait que le chef de palanquée, abrégé ici avec CP, doit faire à peu près tout ce qu'il ne peut pas déléguer, il doit supposer qu'il est le plongeur responsable de tous les plongeurs pendant la plongée. Il ne profitera pas beaucoup lui-même de la plongée mais en même temps il doit s'assurer que les autres plongeurs puissent vivre une plongée agréable et sûre. Mais cela vous y oblige, car généralement, personne, ne veut prendre le rôle du CP. Cependant, si vous assumez ce travail, vous devez également l'exécuter de manière responsable.

**Gardez un œil sur tous les membres de votre palanquée.** Étant donné que vous devez remplir cela de manière efficace, la taille de votre palanquée doit être adaptée à la visibilité sous l'eau sur le site de plongée. Si nécessaire et si la visibilité est mauvaise, la palanquée peut n'être composé que de vous et d'une autre personne avec laquelle vous vous êtes attaché via une dragonne.

Si la visibilité est très bonne, et selon le niveau de formation des autres membres de la palanquée, vous pouvez également gérer 2 à 3 plongeurs. Mais ça ne devrait pas être plus. La discipline de groupe est très importante. Il ne peut donc pas arriver que l'un des plongeurs reste en arrière tandis que tout le monde suit le CP. Si ce membre du groupe ne se soumet pas à la discipline du groupe même après un "avertissement", cette plongée devrait être sa dernière sous votre direction. Vous ne pouvez pas être responsable des plongeurs qui n'acceptent pas votre responsabilité. Rappelez-vous toujours qu'en cas d'accident, il est très probable que vous devrez expliquer au juge pourquoi cela s'est produit. Et vous le savez sûrement: devant une cour et en haute mer, votre destin est entre les mains de Dieu! Assurez-vous donc toujours que vous êtes à la hauteur de vos responsabilités et que votre groupe est entre de bonnes mains, à savoir les vôtres.

**Avant la plongée, nommez un serre-file** qui sécurisera le groupe à l'arrière et veillera à ce que personne ne soit perdu ou laissé pour compte. Ce serre-file doit être en mesure de reprendre immédiatement la direction de la palanquée en cas d'incident par exemple, si vous devez «rattraper» à nouveau un membre de votre groupe ou le ramener à la surface de l'eau. Avant la plongée, assurez-vous de discuter de ce que le serre-file doit faire avec la palanquée. Remonter en surface? Attendre?

**Vérifiez la consommation d'air de chaque membre de votre** palanquée et ajustez le temps et la profondeur de plongée si nécessaire, même si cela va à l'encontre du plan spécifié dans le briefing. La sécurité passe toujours avant tout.

**Si rien d'imprévu n'interfère, vous devez respecter le plan de plongée.** Des choses non prévues confondent vos partenaires de plongée et provoquent une agitation dans la palanquée.

**Montrez à votre groupe ce qui est beau à voir sous l'eau.** Animaux, plantes… ..

**Donnez au groupe le temps de tout regarder.** Une plongée ne doit pas être une compétition pour savoir qui sait nager le plus vite.

**Assurez-vous que le plus faible de la palanquée détermine toujours la profondeur et la durée de la plongée.** Changement de plan si nécessaire.

**Gardez toujours la palanquée ensemble** et montrez aux membres du groupe qu'ils doivent garder leur place dans la palanquée.

**Restez en contact avec le serre-file** qui s'assure qu'aucun membre n'est laissé.

**Assurez-vous que chacun respecte le palier de déco de sécurité de 3 minutes à 5 mètres.**

**Comportement en cas d'urgence,** par exemple en cas de perte d'un plongeur. La palanquée interrompt sa plongée.

**Ramenez tous les membres de votre palanquée à la surface en toute sécurité** et assurez-vous que tout le monde est là et gonfle son gilet.

**Amenez tous les membres de votre palanquée en toute sécurité à bord ou à terre**

### 3.8 Débriefing

Un tel échange de commentaires, aussi appelé débriefing pour faire court, est tout aussi important que le briefing, On discute ici tout ce que le groupe a vécu sous l'eau et qui a été bon, tout cela appartient à ce débriefing. Mais on doit aussi évoquer tout ce qui n'était pas bon. Peu importe ce que l'un ou l'autre a raté sous l'eau, et les jurons ne doivent pas être utilisés, même si c'est parfois difficile. Un tel débriefing a lieu après que l'équipement soit rangé, et dans une atmosphère détendue. Pendant cet échange de vue, tout le monde peut intervenir et se poser la question si tout s'est bien passé ou s'il y a quelque chose à optimiser. S'il y a lieu de critiquer une personne, cela doit être fait de manière constructive et pas de manière blessante. Étant donné qu'aucun maître n'est tombé du ciel et que cela ne se produira probablement pas dans un avenir prévisible, une attention particulière devrait être accordée aux partenaires de plongée. Même un chef de groupe n'est pas parfait et a déjà fait des erreurs. Il est également important que chacun des plongeurs ait son mot à dire et puisse présenter sa vision des choses. Comparez le briefing avec la plongée et vérifiez ainsi si tout le monde avait suivi le briefing

Le chef de palanquée anime le débriefing et commence par
Exemple avec :

**Le profil ide plongée (temps, profondeur, direction, etc.)** a-t-il
été suivi comme indiqué avant la plongée? Ajoutez des éloges et
des critiques.

**Fournir des informations sur la consommation d'air
individuelle,** en fonction des inspection des manomètres et de la
pression résiduelle après la plongée. Personne n'est jugé sur la
base de sa consommation d'air, ni positivement ni négativement.
Si vous avez eu besoin de beaucoup d'air et avez «forcé» la
palanquée à arrêter la plongée plus tôt, emportez une bouteille
plus grande avec vous à la plongée suivante. L'expérience a
montré que la consommation d'air de l'individu se réduit au fil du
temps et ne peut être imposée dès le début.

**Aborder des caractéristiques spéciales sous l'eau et donner
des conseils et des astuces,** qui auraient pu être des coraux ou
des poissons particulièrement beaux, mais aussi un compagnon
de plongée qui tarait très bien et ne nuisait pas à l'environnement.
Bien sûr, cela devrait être le cas pour tous les plongeurs, mais là
aussi, l'expérience montre qu'il y a de bons et de moins bons
plongeurs. Un tel chef de groupe peut faire beaucoup et il devrait
essayer cela aussi. S'il est nécessaire de "réprimander" un
membre du groupe un peu plus clairement, cela ne se produit
jamais devant le groupe, mais toujours dans une conversation
individuelle dans le "placard silencieux". Cela empêche la
personne en question d'être exposée devant tout le groupe. Des
louanges peuvent également être faites, ce qui motive le
partenaire de plongée plus que les critiques négatives.

**Aprés son rapport, laisser le groupe s'exprimer,** puis
apprenez quelques choses vous-même pour devenir un leader de
groupe encore meilleur. Remarque: En tant que chef de

palanquée vous êtes la garantie de la sécurité de vos partenaires de plongée hors et sous l'eau, c'est-à-dire avant et après la plongée. À la fin du débriefing, votre tâche en tant que chef de groupe de la plongée est terminée. À moins que vous ne le fassiez comme profession à plein temps; dans ce cas il faut ensuite "s'occuper" d'eux au bar, le soir, ou partout où se trouvent vos plongeurs. Parce que si vous voulez plonger le lendemain, vous devez faire respecter la discipline la veille au soir. S'ils ne l'acceptent pas, ils ne plongeront pas, et ce sera décidé par le chef de palanquée

## 3.9 Erreurs Habituelles

L'être humain en lui-même est imparfait et personne n'est parfait, mais il y a des erreurs qui sont "répétées" encore et encore. Et le meilleur briefing au monde ne sert à rien si un plongeur ne se souvient pas de ce qui a été discuté, parce que le briefing était trop long et décousu, ou s'il y manquait quelque chose d'important. Comment le chef de groupe réagit-il à ces erreurs habituelles?

**Perte d'un compagnon de plongée!**

Les options varient, bien sûr, en fonction de la taille de la palanquée et de la profondeur de la plongée, mais en général, l'ensemble du groupe devrait, si possible, toujours revenir à la surface lorsqu'un plongeur a disparu. Immédiatement après avoir remarqué la perte du partenaire, le chef de palanquée arrête tout le groupe et les fait rester sur place. Le chef de palanquée tourne alors autour de tout le groupe et cherche à voir si le plongeur perdu est dans les environs. Si c'est le cas, il le ramènera à sa position de la palanquée et la plongée se poursuivra. Sinon, le chef de groupe se déplace lentement autours du groupe et cherche le plongeur en dehors du groupe sans se déplacer à plus de quelques mètres du groupe (attention à la visibilité). Si la visibilité est bonne, vous pouvez également rechercher les bulles expirées par le plongeur perdu. Si le plongeur n'est pas retrouvé, toute la palanquée remonte lentement en surface et avec tous les paliers nécessaires. Les bulles d'air du "disparu" sont alors recherchées à la surface de l'eau. Si elles sont trouvées, le groupe reste ensemble à la surface et le chef de palanquée plonge pour ramener le plongeur perdu. Selon l'état des réserves d' air, la plongée sera poursuivie ou terminée. Si le plongeur perdu n'est pas retrouvé, la chaîne de sauvetage doit être activée. Tous les plongeurs sont mis en sécurité (terre ou bateau) puis la recherche du plongeur est lancée. Vous pouvez apprendre toutes les autres mesures, , dans la sécurité et le sauvetage de plongée IDA-SK, dont les descriptions en détail vont au-delà de ce cours ci

J'ai vu un plongeur perdu rentrer au bord, même si, selon le briefing, cela n'aurait pas dû se produire. Le camarade n'avait pas retrouvé la palanquée et a donc nagé à terre, où il s'est détendu dans une chaise longue. Quiconque a déjà été responsable d'une palanquée peut comprendre ce que j'ai enduré pendant la recherche et sur le chemin du rivage. Quand j'ai vu le camarade dans la chaise longue, j'ai presque perdu mon sang-froid. Ce plongeur n'oubliera jamais de sa vie le débriefing "entre quatre yeux".

**Perte de l'orientation!**

Peu importe à quel point un chef de palanquée est bon, lui aussi peut perdre ses repères. Si le «bon» chemin ne peut pas être trouvé en utilisant des relèvements et / ou des caractéristiques particulières sous l'eau, parfois faire surface est la solution la plus simple. Et oui, je me sens aussi déshonoré quand je ne sais plus où je suis ni où je dois aller. Mettez votre orgueil dans votre poche, et admettez que vous n'êtes pas parfait, plutôt que d'égarer toute une palanquée. De plus, comme nous l'avons déjà appris, il se peut toujours que la boussole "devienne folle" et alors on ne peut vraiment pas s'empêcher de perdre son orientation.

Alors arrêtez votre palanquèe et jetez un coup d'œil autour de vous. Pointez à nouveau la boussole et assurez-vous que vous êtes réellement sur la «mauvaise voie». Si vous ne faites plus confiance à la boussole et êtes sûr que vous vous trompez, remontez à la surface en respectant toutes les règles de sécurité. Mais avant tout confiez la palanquée à votre serre file, ou si vous n'avez qu'un seul partenaire avec vous, emmenez le avec vous en surface, **vous ne laisserez jamais un seul plongeur seul au fond**. Faites alors attention à tout ce qui pourrait être au-dessus de vous pour éviter les blessures. Les surfeurs ou les voiliers peuvent s'approcher très rapidement sans faire de bruit. La première chose que vous faites lorsque vous sortirez la tete de l'eau, c'est de prendre une vue panoramique. Dans le cas où quelque chose se rapproche qui pourrait vous donner un "mal de tête", vous devriez redescendre rapidement. Dans un tel cas, j'ai eu le choix entre un tympan déchiré ou un passage à travers l'hélice d'un ferry. Heureusement, j'ai pu éviter les deux. J'ai donc remarqué qu'il n'est pas toujours judicieux de faire surface au milieu d'un plan d'eau. Donc, si vous avez terminé votre vue panoramique et que rien ne s'approche pour vous « rentrer dans le lard », orientez-vous calmement et visez à nouveau l'endroit que vous voulez atteindre. Retournez ensuite près de votre palanquée et reprenez la direction. Avec l'aide des bulles d'air libérées par votre palanquée, vous êtes sûr de retrouver vos garçons et filles même par mauvaise visibilité. En supposant que la mer n'est pas trop agitée et que vous ne puissiez pas trouver les bulles à la surface. Il suffit souvent de plonger à 2 ou 3 mètres pour voir les bulles. Si cela ne vous aide pas non plus, vous avez heureusement mentionné lors du briefing que dans un tel cas (perte d'un membre du groupe), le groupe fait surface au bout de quelques minutes. L'avez-vous fait??? ☺

**Conditions autres que prévues!**

Les conditions dans lesquelles la plongée a été planifiée peuvent changer. En principe, cela peut être tout ce qui empêche la plongée de se dérouler comme prévu et discuté dans le briefing. Le problème peut provenir de votre palanquée ou de vous. Cela peut être dû à la météo, à un trafic maritime soudain (C'est qu'alors vous ne vous êtes pas informé correctement au préalable) ou aux conditions sous l'eau. Il existe de nombreuses façons de repenser une plongée, mais il y a seulement deux façons de la gérer. Soit le changement imprévu est si insignifiant qu'il peut être négligé, soit il est si grave que la plongée doit être interrompue. La décision pour l'une ou l'autre option appartient uniquement au chef de palanquée qui en sera également tenu pour responsable, si une mauvaise décision éventuelle entraîne un accident,. En cas de doute, la plongée sera interrompue et la suite de la procédure sera discutée avec le groupe

**3.10 Règles de Sécurité**

Si vous prévoyez une plongée appartenant au type dit "Extrême", c'est-à-dire des plongées en grotte, des plongées sous glace, des plongées profondes ou sur des épaves, etc., vous devez sélectionner la palanquée en conséquence. Avec de telles plongées, il est logique de garder la palanquée de ceux qui plongent ensemble aussi petite que possible, Avec idéalement seulement 2 plongeurs. Une plongée sous glace à partir d'un seul trou (forme triangulaire) avec plusieurs plongeurs assurés par une ligne pourrait rapidement devenir une pelote de fil, ce qui nuirait à la sécurité de chaque plongeur individuellement. Avant d'entreprendre de telles plongées, vous devez absolument suivre le cours spécial requis pour cela. En tant que chef de palanquée, vous devez également avoir beaucoup d'expérience pour ce type de plongée

.

**Addition de difficultés aux plongées**

Ces plongées *spéciales* ne peuvent pas additionner leurs difficultés, ce qui signifie que vous ne devez pas faire de plongées sous glace la nuit ou de plongées profondes lorsque le courant est fort. Si deux sources de danger s'additionnent, il en résulte souvent plus de 2. Du moins en ce qui concerne les problèmes qui peuvent survenir. Il va sans dire que les plongées avec plus de 2 niveaux de difficulté doivent également être évitées. Comme par exemple, une plongée nocturne profonde sous la glace et avec un courant élevé. ☺

**Plongeur de sécurité / Palanquée de sécurité**

Pour certaines plongées ou exercices, il est logique d'avoir un plongeur de sécurité ou une palanquée de sécurité prêts. En cas d'urgence, cela peut devenir critique si le plongeur qui doit effectuer le sauvetage n'a même seulement qu'une minute de retard. Par conséquent, le plongeur de sauvetage ou de sécurité doit être entièrement équipé sur le bateau ou à terre et prêt à se mettre à l'eau. Pour certains exercices, comme l'apnée, il est logique que le plongeur de sécurité soit déjà dans l'eau et garde un contact visuel avec l'apnéiste. Lorsque vous tentez d'enregistrer une plongée en apnée, il est courant de travailler avec au moins trois plongeurs de sécurité. Un en surface, un au milieu du trajet et un en bas, ou au bout du trajet. Selon la profondeur à laquelle le plongeur apnée veut aller, plusieurs plongeurs peuvent se positionner en cours de route. Prenez absolument attention au fait que ces plongeurs de sécurité, contrairement à l'apnéiste, doivent en certains cas décompresser si nécessaire.

N'oubliez pas qu'un plongeur de sécurité qui n'est pas entièrement équipé peut prendre un certain temps pour mettre l'équipement et que le plongeur en attente d'aide peut ne pas attendre aussi longtemps. Et bien sûr, faites également attention à la condition physique du plongeur de sécurité.

Si le plongeur de sécurité, qui peut ne plus être en pleine forme, , reste assis ou reste immobile dans le froid ou au soleil pendant une longue période, il faut également prévoir un relais ou permutation avant de l'avoir « assommé » Assurez-vous donc qu'il est toujours en forme. Ce serait une bonne idée d'avoir plusieurs plongeurs successifs qui peuvent se relayer.

Si vous plongez avec une palanquée plus grande, c'est-à-dire avec plus de 2 plongeurs, il peut être judicieux de prévoir des plongeurs de sécurité qui sécurise l'extrémité et les flancs du groupe. La taille du groupe dépend bien sûr de la visibilité et de l'expérience de plongée de chaque membre de la palanquée . Mais n'oubliez jamais qu'en tant que chef de palanquée, vous êtes responsable de la sécurité de tous les plongeurs, y compris la sécurité des plongeurs de sécurité

**Tâches de la Palanquée de sécurité ou des plongeurs de sécurité**

Assistance aux plongeurs

Mise en oeuvre des équipements de secours

Sécurité des mise à l'eau et des sorties

Contrôle des palanquées au départ et au retour

**Gérer les listes**

- qui plonge avec qui

- Qui se met à l'eau et quand

- Qui sort de l'eau et quand

 Il a également un aperçu de la taille, c'est-à-dire du volume des blocs, qui sont adaptés à la plongée, et il peut ainsi prévoir quand les plongeurs devraient à nouveau sortir de l'eau.

Bien sûr, c'est seulement approximatif et pas à la minute près.

Intervention en cas d'urgence et coordination d'autres mesures, telles que par exemple, soins des blessures, appels au médecin urgentiste, réanimation, etc.

Ces tâches montrent qu'un seul plongeur de sécurité peut rapidement être submergé si les palanquées sont trop grandes ou s'il y a trop de palanquée

Et rappelez-vous toujours: **On plonge pour le plaisir!**. ☺

## 3.11 Exercices Pratiques

Il est prévu 4 plongées qui devraient être effectuées à une profondeur  de 10 à 15 mètres. Chaque plongée devrait prendre au moins 15 minutes et la taille de la palanquée devrait être de 2 à 5 plongeurs selon la visibilité.

### Plongée 1

Le chef de palanquée vérifie la flottabilité correcte des plongeurs et les corrige si nécessaire. La profondeur doit être modifiée plusieurs fois. Pour éviter des dommages à l'environnement, un ajustement de flottabilité correct, qui doit toujours conforme à la profondeur, est absolument nécessaire.

### Plongée 2

Un membre du groupe simule un problème et le chef de palanquée porte assistance à ce plongeur sans perdre de vue le groupe. Un changement d'un masque ou d'une sangle de palme est ici un exemple de problème

## Plongée 3

Le chef de palanquée démontre qu'il peut maintenir la palanquée ensemble, même si un membre ne respecte pas les règles

## Plongée 4

Le chef de palanquée démontre qu'il peut tenir la palanquée groupée même s'il y a des problèmes pendant la descente

93

Si ces plongées avec des problèmes ont été effectuées avec succès et que la palanquée a laissé le site intact et en bon état après chaque plongée, le chef de palanquée est considéré comme ayant satisfait.

Ces plongées ne sont bien sûr que des exemples de plongées qui ne se déroulent pas bien. De même qu'il y a de nombreuses personnalités différentes parmi les plongeurs, il y a aussi de nombreux problèmes qui peuvent survenir. Avant chaque plongée, un chef de palanquée doit s'assurer que tous les membres de son groupe soient 100% prêts pour l'action. Cela s'applique à l'équipement, à l'expérience de plongée ainsi qu'à la santé des plongeurs. Et quelle que soit l'expérience que vous avez acquise dans votre vie de plongeur et de chef de palanquée, il y aura toujours des moments où vous n'êtes pas sûr de ce qui doit être fait. Gardez toujours à l'esprit que la sécurité et la santé de **vos** plongeurs sont primordiales. Assurez-vous d'annuler une plongée si vous n'êtes pas complètement sûr de maîtriser la situation. Ne vous mettez pas à l'eau avec votre groupe si vous ne pouvez garantir que personne ne sera accidenté. Assurez-vous d'avoir identifié les choses qui ne devraient pas se produire et assurez-vous que quelque chose comme ça ne puisse pas se produire. Et finalement, vous apprenez des choses à chaque plongée, de sorte que votre expérience grandit régulièrement et que vous vous améliorez de plus en plus. Votre palanquée vous en remerciera. (Probablement !) ☺ Et ne vous inquiétez pas si vous êtes le dernier à arriver au barbecue après la plongée et que vous ne recevez pas de saucisse. Cela est arrivé à des milliers de chefs de palanquée avant vous, et cela arrivera aussi à beaucoup après vous. En tant que chef de palanquée expérimenté, vous avez toujours quelques saucisses et une bouteille de jus cachées dans le coffre ou ailleurs pour de tels cas. Parce que cela fait également partie des compétences d'un bon chef de palanquée: de prévoir l'avenir. Dans cet esprit, bonne chance et amusez-vous!

## 3.12 Recommandation pour la constitution des palanquées

| Brevet | | Brevet | | Acceptable | | Profondeur |
|---|---|---|---|---|---|---|
| Basic Diver | + | Basic Diver | + | Non | | - |
| OWD/Plongeur * | + | OWD/Plongeur* | + | Non | | - |
| AOWD | + | OWD/ Plongeur * | + | Oui | | 18 Mètres |
| AOWD | + | AOWD | + | Oui | | 30 Mètres |
| Plongeur** | + | OWD/ Plongeur * | + | Oui | | 20 Mètres |
| Plongeur ** | + | 2 OWD/ Plongeur * | + | Non | | - |
| Plongeur ** | + | AOWD | + | Oui | | 30 Mètres |
| Plongeur ** | + | Plongeur ** | + | Oui | | 40 Mètres |
| MSD | + | OWD/Plongeur * | + | Oui | | 20 Mètres |
| MSD | + | AOWD | + | Oui | | 30 Mètres |
| MSD | + | MSD | + | Oui | | 40 Mètres |
| Plongeur ***/**** | + | Basic Diver | + | Oui | | 12 Mètres |
| Plongeur ***/**** | + | OWD/ Plongeur * | + | Oui | | 40 Mètres |
| Plongeur ***/**** | + | AOWD | + | Oui | | 40 Mètres |
| Plongeur ***/**** | + | MSD | + | Oui | | 40 Mètres |
| Plongeur ***/**** | + | Plongeur ** | + | Oui | | 40 Mètres |
| Plongeur ***/**** | + | Plongeur *** | + | Oui | | 40 Mètres |

En général, les profondeurs maximales suivantes s'appliquent selon la recommandation d'IDA et l'âge:

| | |
|---|---|
| **8 – 10 Ans** | **5 Mètres** |
| **10 – 12 Ans** | **5 Mètres** |
| **12 – 16 Ans** | **12 Mètres** |
| **16 – 18 Ans** | **25 Mètres** |
| **à partir 18 Ans** | **40 Mètres** |

IDA est l'une des rares associations de plongée à avoir non seulement rejoint le système de formation CMAS, mais également formé et certifié certains des niveaux de formation des associations américaines. Presque tout le monde trouvera quelque chose dans le «Catalogue de la formation» d'IDA.

Il y a des plongeurs CMAS convaincus qui refusent la licence d'autres associations de plongée et il y a des plongeurs convaincus qui rejettent le système CMAS. Eh bien, chacun a le droit d'avoir sa propre opinion

## 4.0 Advanced Open Water Diver (AOWD)

### 4.1 But du cours

Le cours s'adresse à des candidats dans le but de plonger de façon autonome avec un autre plongeur qui a au moins la certification OWD / plongeur 1 étoile jusqu'à 18 mètres de profondeur. Le participant sera familiarisé en théorie et en pratique avec les principes de la mise en œuvre des plongées en eau libre de manière indépendante. Après avoir terminé le cours, il sera capable de planifier des plongées en eaux libres en toute sécurité et sera autorisé à les réaliser de manière indépendante (en respectant les recommandations pour la composition des palanquées en général selon les Normes Européennes) IDA recommande de participer à un cours Nitrox et de participer à un cours de RCP.

### 4.2 Contenu du cours:

Les bases théoriques et pratiques de **5** cours spéciaux différents sont enseignées. A cet effet, une plongée correspondante selon la partie théorique.sera effectuée

Le candidat devra effectuer trois plongées selon le programme obligatoire, et devra choisir deux plongées dans le programme optionnel,

**Obligatoire**

Notions de base d'Orientation Sous-Marine (voir pages 28 – 59).

Notions de base de Plongée Profonde (jusqu'à 40 Mtres).

Notions de base de lestage, d'équilibrage, de technique de palmage.

**En option**

Notions de base de la Direction de Palanquée.

Notions de base de la Plongée sur Epaves.

Notions de base de la Plongée de Nuit.

Notions de base de la Plongée au Nitrox.

Notions de base de Biologie en Eau Douce..

Notions de base de la Biologie en Mer

**Pour chaque plongée:**

Enseignement des bases théoriques du cours concerné.

Préparer l'équipement de sauvetage / oxygène et expliquer la chaîne de sauvetage.

Questions sur l'état physique (éventuellement alcool, médicaments, fatigue, etc.).

Comportement en situation d'urgence, perte de partenaire, vérification du partenaire et explication des signaux sous-marins

Briefing et explication des exercices.

Palier de sécurité de 3min à 5m à chaque plongée.

Le cours AOWD doit être réalisé de manière compatible avec la nature et l'environnement.

Ranger et entretenir l'équipement après la plongée.

Débriefing et inscription dans le journal de bord.

## 4.3 Notions de base pour la Plongée Profonde

Dans le domaine de la plongée sous-marine, la limite de profondeur est généralement de 40 mètres et souvent de 30 mètres, que le responsable du centre impose ensuite comme profondeur maximale..

**Limites de Profondeur**

**Jusqu'à 20 Mètres**

Limite pour les plongeurs loisirs sans formation en plongée profonde (uniquement pour les associations américaines)

**de 20 à 30 Mètres**

Limite pour les plongeurs récréatifs avec une formation en plongée profonde mais peu d'expérience en plongée profonde

**de 30 à 40 Mètres**

Limite pour les plongeurs loisirs avec une formation en plongée profonde et une expérience en plongée profonde

**Dangers possibles de la Plongée Profonde**

Empoisonnement par les gaz (Narcose à l'azote, Ivresse)

La cause est une pression partielle élevée d'Azote.

**IDA recommande une profondeur de plongée maximale de 40 mètres,** ce qui entraîne une pression partielle d'azote de 3,9 bars lors de la plongée avec de l'air respirable.

La pression partielle d'azote est calculée en multipliant la pression ambiante (pression d'air et d'eau) par la fraction d'azote (FN2) dans le gaz respiratoire.

Ainsi

0,78 FN2 x 5 bar (40 Mètres) = 3,9 bar pN2

Une intoxication profonde peut survenir avant que cette profondeur ne soit atteinte. Cela dépend beaucoup de la "forme physique" et de la "consommation" de médicaments de toute nature, qui peuvent influencer le début précoce d'une narcose à l'azote, ou ivresse des profondeurs.

**Symptômes possibles d'ivresse des profondeurs:**

Faculté intellectuelle restreinte

Goût métallique en bouche

Perte du sens critique

Difficulté à se concentrer

Temps de réaction prolongés

Présence d'euphorie ou de panique

Perte de motricité fine

Hallucinations

**Facteurs favorisant l'ivresse des profondeurs:**

Fatigue

Angoisse (ex. : . par perte du compagnon)

Alcool, Drogues

Médicaments (particulièrement Psychotropes)

Obscurité

Froid

Absence de repères

Manque de forme physique

Mauvaise forme du jour

Excitation

Descente trop rapide

**Mesures à prendre:**

Réduction de la profondeur de plongée

Interruption de la plongée

Réduction de l'azote dans le mélange respiratoire (utiliser Nitrox)

**Calculs des Plongées (voir plongeur 2\*\*):**

Les calculs se basent toujours sur le partenaire de plongée avec l'AMV le plus élevé et la réserve d'air respirable la plus faible. Un arrêt de déco de sécurité de 3 minutes à 5 mètres est toujours observé. Toutes les plongées profondes sont calculées et effectuées sur la base des Deco 2000, sauf si un ordinateur de plongée est utilisé par la palanquée.

**Les temps de plongée et de palier doivent être strictement respectés.**

**Particularités à Surveiller:**

Tous les membres d'un groupe plongent avec le même mélange respiratoire (air ou Nitrox ou …..).

Tous les instruments sont surveillés en permanence.

L'apport d'air est non seulement suffisant, mais généreux.

Chaque plongeur porte une bouée de sauvetage avec eux.

Équipement redondant (2 lampes, détendeurs sur vannes verrouillables séparément, manomètre).

Le programme de plongée est strictement respecté.

Tenir à jour une " **Run-Time-Table** " sur laquelle toutes les données et valeurs précédemment calculées (temps au fond, temps de remontée, temps de décompression et palier de sécurité) sont notées. Ces données sont notées sur une tablette immergeable et emportées avec vous pendant la plongée. Ces données sont ensuite scrupuleusement respectées, même si l'ivresse des profondeurs suggère le contraire. ☺


**Gestion des Urgences**

Tous les membres de la palanquée doivent:

Connaître le contenu des mallettes de secours (oxygène et pharmacie) et pouvoir les utiliser correctement.

Savoir faire fonctionner l'équipement d'oxygèno-thérapie.

Savoir envoyer un appel d'urgence (par téléphone portable, radio et téléphone), tous les membres du groupe doivent pouvoir trouver et utiliser ces appareils et connaître également les numéros d'urgence.

Maîtriser le secourisme et la réanimation (RCP).

Être capable de remplir un rapport d'accident de plongée.

101

**Mesures de sécurité de base**

**(Avant la Plongée)**

Préparer le kit de sauvetage (oxygène et premiers soins).

Disposer la bouteille de sécurité à 5 mètres (sur la ligne d'ancrage ou bouée).

Vérification des dispositifs de communication (radio, téléphone, téléphone portable).

Ajouter éventuellement une bouée pour faciliter l'orientation. Plongez et sortez sur la ligne de bouée ou la chaîne d'ancre

**(Pendant la Plongée)**

Contrôle constant des instruments

Contrôle constant du temps sans décompression restant (également pour tous les plongeurs)

Éviter les paliers de décompression obligatoires

Respect strict du programme de plongée


**(Après la Plongée)**

Rassemblez le groupe à la surface (bateau, bouée, etc.).

Vérifier l'intégralité du groupe.

Les chefs de palanquée sont les derniers à quitter l'eau

Débriefing

**Généralités:**

Lorsque vous plongez profondément, assurez-vous que votre réserve en gaz respiratoire soit suffisamment grande pour effectuer cette plongée en toute sécurité. Si vous voulez plonger profondément, assurez-vous de prendre avec vous un partenaire de plongée expérimenté, idéalement, au moins pendant les premières plongées, un Instructeur de plongée ou un assistant Instructeur de plongée ou un guide de plongée expérimenté. Gardez à l'esprit qu'une profondeur inhabituelle peut avoir un impact énorme sur votre corps et vous ne pouvez jamais savoir exactement comment votre corps va réagir lors d'une telle plongée ce jours là. Alors plongez attentivement avec lenteur et « écoutez » votre corps. Si vous n'êtes pas à 100% à l'aise, vous devez interrompre immédiatement cette plongée et remonter en surface. Afin d'apprendre vraiment et en détail la plongée profonde, vous devez suivre un cours de spécialisation sur ce sujet. Et même si vous avez réussi ce cours, il peut toujours arriver que votre forme quotidienne ne permette pas une plongée profonde ce jour là. Prenez soin de vous!

**4.4 Notions de Base pour la flottabilité, la stabilisation, et les techniques de palmage.**

**La Flottabilité** est ce que nous plongeurs appelons la gestion de l'équilibre hydrostatique. En d'autres termes, l'état dans lequel les forces ascendantes et descendantes qui agissent sur notre corps s'annulent. Idéalement, nous flotterons sous l'eau.

Cela ne semble pas spectaculaire au départ, mais c'est toujours une tâche difficile pour beaucoup, du moins au début de la carrière de plongeur.

À cet effet, nous allons clarifier brièvement ce qui influence notre flottabilité:

103

- La densité de l'eau dans laquelle nous plongeons. Et cela aussi peut changer pendant la plongée, en fonction de la teneur en minéraux et de la température de l'eau.
- Le type et l'épaisseur de notre combinaison de plongée.
- La profondeur en constante augmentation et la pression de l'eau qui change en même temps. (Mot-clé néoprène)
- La façon dont nous respirons.
- Les poids de lestage emportés (ceinture de lest, poches de lest dans la veste).
- Notre forme quotidienne, qui détermine la profondeur et la fréquence de notre respiration.
- Le niveau de remplissage de notre bloc
- Le matériau de notre bouteille d'air comprimé (acier ou aluminium).

Tout plongeur ayant reçu une formation appropriée, par exemple avec un instructeur IDA, sait que la densité de l'eau a un impact majeur sur la quantité de plomb à emporter.

Plus l'eau est dense, c'est-à-dire plus elle contient de minéraux, plus nous devons emporter de plomb pour compenser la flottabilité de nos équipements. Certains équipements augmentent la force vers le bas, d'autres ont tendance à augmenter la flottabilité (en particulier le néoprène). Un bloc fortement vidé peut également générer une flottabilité, comme je peux le dire d'après ma propre expérience. Placer un bloc en aluminium à 10 mètres alors qu'il n'a qu'une pression résiduelle d'un peu moins de 60 bars peut être un défi. Mais dans l'ensemble, les équipements métalliques ont tendance à augmenter la force vers le bas

J'ai déjà mentionné comment la quantité correcte de plomb est déterminée dans le livre IDA Diver 1, mais je peux le répéter brièvement ici:

*La quantité correcte de lestage est relativement facile à déterminer, mais c'est parfois aussi une question de préférence personnelle. Équipez-vous complètement et mettez vous à l'eau dans laquelle vous souhaitez plonger. Videz votre gilet de stabilisation et remplissez vos poumons par une profonde inspiration, puis allongez-vous à la surface de l'eau. Si alors vous coulez, vous avez trop de plomb car vous devez maintenant nager en surface. Réduisez donc le plomb. S'il vous est possible de nager en surface, expirez profondément. Vous devez maintenant couler. Cependant, cette méthode approximative pour trouver la bonne quantité de plomb ne s'applique qu'à cette configuration d'équipement et à ce type d'eau. Si vous passez de l'eau salée à l'eau douce et vice versa, ou changez de combinaison, vous devez répéter ce test. Dans votre logbook IDA, vous trouverez une colonne dans laquelle vous pouvez noter les quantités de plomb respectives afin de ne pas avoir à effectuer ces tests à chaque fois*

Ayez toujours avec vous autant de plomb que nécessaire pour plonger confortablement. Gardez cependant à l'esprit que le plomb a un poids que vous devez porter hors de l'eau, ce qui exige aussi de la force. Donc autant de plomb que nécessaire, mais aussi peu que possible.

Maintenant, vous avez la bonne quantité de plomb avec vous et commencez à descendre. En raison de la pression croissante, le volume des vêtements en néoprène portés diminue, et donc le volume de l'ensemble du plongeur diminue aussi, ce qui a une grande influence sur notre flottabilité.

Parce qu'Archimède dit:

librement exprimé:

**Tout corps plongé dans un fluide, subit de la part de ce fluide une poussée verticale dirigée du bas vers le haut, égale au poids du volume de fluide déplacé.**

105

Archimède était un grand mathématicien et physicien de l'Antiquité (environ 287 - 212 avant JC).

Nous allons laisser cette phrase "se fondre dans notre esprit"! Elle contient des choses importantes. Elle dit que la flottabilité du corps, c'est-à-dire des plongeurs, avec notre équipement compris, dépend de la quantité de fluide déplacé et du type de fluide déplacé.

Donc si nous pesons 100 kg avec équipement de plongée (masse), et avons un volume de 110 litres, lorsque nous sautons dans l'eau, nous n'allons pas couler. Nous déplaçons donc 110 litres d'eau salée, par exemple en Méditerranée, ce qui signifie 110 fois 1,03 kg par litre, soit 113,3 kg de flottabilité contre 100 kg de force vers le bas. Nous flottons à la surface de l'eau car nous avons une flottabilité positive de 13,3 kilogrammes.

D'une part, c'est super parce que nous pouvons être détendus, mais d'autre part, nous ne voulons pas rester à la surface, nous voulons plonger. Nous devons donc supprimer cette flottabilité et, même surtout, la gérer

Bien sûr, nous pouvons imaginer ici une situation dans laquelle un plongeur plongerait dans le mercure (ne coulerait presque pas du tout) ou dans de l'alcool pur (vue de l'esprit, pas de plaisanterie ici ☺), De telles pensées sont divertissantes et expliquent le principe, mais ne sont pas opportunes ici.

Alors maintenant vous plongez, pour les raisons déjà évoquées, votre flottabilité est réduite et vous devez y remédier en gonflant votre gilet, afin de ne pas vous étaler sur le fond où qu'il soit.

Commencez à gonfler votre gilet à temps et faites le avec des petites et courtes insufflations d'air

Pour une meilleure compréhension, supposons qu'un litre d'air passe dans le gilet à chaque seconde où vous appuyez sur l'inflateur. Ce n'est certainement pas la bonne quantité d'air, mais je veux juste expliquer ici le principe de fonctionnement et donc je n'utiliserai pas de nombres fractionnaires ou décimaux. Ce litre d'air passe par l'inflateur dans votre gilet à chaque seconde. Un litre d'air dans le gilet crée un kg supplémentaire de flottabilité. À une faible profondeur, disons à 2 mètres, appuyer sur le gonfleur pendant 3 secondes crée 3 kg de flottabilité. En raison de la faible profondeur et de la faible compression de votre combinaison qui en résulte, vous avez perdu très peu de flottabilité et les 3 litres vous amèneront très probablement directement à la surface de l'eau (N'OUBLIEZ PAS D'EXPIRER!). Donc, à faible profondeur, appuyez très brièvement sur le gonfleur pour vous équilibrer. Pensez également au tarage fin par la respiration, car vos poumons sont également un corps creux flexible et rempli d'air qui aide à gérer votre flottabilité. À faible profondeur, vous pouvez également ne vous équilibrer qu'avec les poumons si la quantité correcte de plomb est utilisée.

Avec une profondeur croissante, vous devez également appuyer plus longtemps sur le bouton de l'inflateur pour obtenir le même effet de flottabilité qu'à faible profondeur. À mesure que la pression augmente, la quantité d'air (en litres « normal » donc 1 bar) doit également augmenter (voir aussi Boyle-Mariotte).

Supposons donc que vous mettiez un litre d'air dans la veste à une profondeur de 2 mètres, avec une poussée de gaz d'une seconde. Pour obtenir le même effet de flottabilité, il faudrait ajouter cinq fois la quantité d'air dans le gilet à 40 mètres, selon Boyle-Mariotte. Donc, théoriquement, vous devez appuyer pendant 5 secondes. Les orifices, c'est-à-dire les ouvertures de passage d'air dans le premier étage, à travers lesquels l'air s'écoule du bloc via le premier étage et le tuyau MP dans le gilet, sont déterminés par la conception et sont donc immuables. En raison de la plus grande densité de l'air en profondeur, l'air prend naturellement plus de temps à traverser ces orifices. Cependant, comme la pression augmente, la vitesse d'écoulement augmente, également ce n'est bien sûr pas exactement 5 secondes que vous devrez appuyer, mais cependant cela prend certainement plus de temps qu'en surface. Un physicien peut certainement vous donner les données exactes, mais il suffit, pour nous les plongeurs, de savoir qu'avec la profondeur de le gilet met plus de temps à se remplir.

Certains fabricants proposent ce qu'ils appellent des « power inflators », qui ont généralement une capacité d'insufflation d'air nettement plus élevée, et donc la différence de profondeur n'est pas aussi perceptible. Mais avec ces « power inflators », vous devez être particulièrement prudent lorsque vous remplissez votre gilet à faible profondeur

Nous pouvons en voir que le gonfleur doit être manipulé avec plus de soin à faible profondeur qu'à plus grande profondeur. Attention: Bien sûr, même à partir d'une plus grande profondeur, si le gonfleur est pressé trop longtemps, vous pouvez grimper assez rapidement. Et comme nous avons également plus d'air dans la veste en raison de la pression plus élevée, la vidange de la veste prend plus de temps. Soyez donc prudent lors du remplissage de la veste et assurez-vous toujours que l'inspiration et l'expiration ont un effet de flottabilité supplémentaire

**La Stabilisation** est le positionnement du corps, avec l'équipement complet compris, afin d'atteindre une position optimale sous l'eau. Je ne veux pas m'étendre trop sur l'axe longitudinal ou transversal ici, mais une brève clarification est nécessaire. Chaque corps, y compris le vôtre, a un point de pivotement. Ce point de rotation est un point imaginaire qui se trouve dans votre corps et autour duquel vous pouvez tourner, dans l'axe longitudinal, vertical ou transversal

axe longitudinal

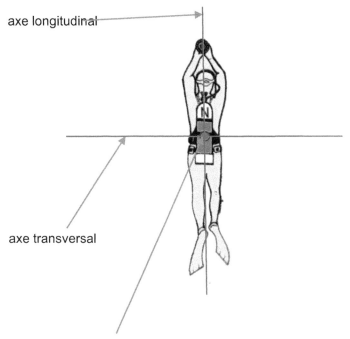

axe transversal

Le point de rotation se trouve au milieu du plongeur.

Axe vertical

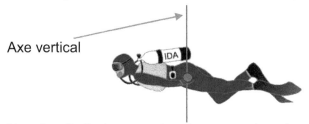

L'axe longitudinal, comme tous les axes autour desquels notre corps peut tourner, est une ligne imaginaire. Par exemple, vous tournez autour de l'axe longitudinal si vous vous tournez sur vous même en position debout pour regarder dans une direction différente. Lorsque vous passez de la verticale à l'horizontale, c'est-à-dire lorsque vous vous allongez, vous tournez autour de l'axe transversal. Et vous tournez autour de l'axe vertical si vous changez la direction de nage pendant la plongée.

En tant que plongeurs, nous tournons souvent autour de l'axe longitudinal lorsque la ceinture de plomb glisse ou que la fixation du bloc est trop lâche et qu'il penche d'un côté. On peut assez bien éviter ces mouvements si l'équipement est correctement attaché. Cela signifie resserrer les ceintures lors d'une profondeur croissante et les desserrer en remontant, ce qui est souvent oublié.

Nous n'avons pas à nous soucier autant de l'axe vertical, car notre situation autour de lui ne change que lorsque nous le voulons, à savoir lorsque nous changeons de direction.

L'axe transversal requière notre attention car les mouvements de notre corps autour de lui sont très dépendants de la position de notre équipement. Le bloc influence notre position tout comme la ceinture de lest et les palmes qui peuvent également affecter cette position. Ainsi, j'aime porter de lourdes palmes lorsque je plonge en costume sec pour éviter de mettre des plombs.de cheville. Beaucoup de bons gilets ont des poches de lest spéciales qui permettent d'attacher des poids plus petits. La position idéale de nage sous l'eau est telle que le plongeur se positionne avec le haut du corps et la tête légèrement vers le haut. Ainsi, le plongeur peut bien observer le fond et regarder en même temps devant lui

Comme il existe de nombreuses configurations différentes (Monobloc, Bi-bouteille, Pony-bouteille, blocs « side-mount » etc.) qui affectent la position dans l'eau, la position optimale dans l'eau peut devoir être établie au moyen de lests de trim.

Comme déjà mentionné ci-dessus, il y a souvent des poches de lest spéciales dans le gilet. Mais si le poids de trim doit être fixé quelque part où il n'y a pas de poche, il faut faire appel à l'ingéniosité

Comme déjà mentionné, il existe des plombs de cheville de conception similaire aux lests de trim, qui peuvent être placés autour des chevilles ou des poignets afin d'augmenter l'effet de stabilisation. Ils sont maintenus en place par Velcro et pèsent généralement entre 05 et 1 kg

Ces sachets sont remplis de grenaille plomb (petites boules de plomb) et attachés autour des chevilles.

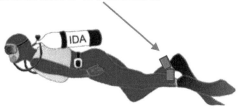

Comme ils sont souples grâce à la grenaille, le sachet s'adapte parfaitement sans exercer de pression ponctuelle et donc inconfortable. Comme alternative, des palmes lourdes, généralement en caoutchouc solide, peuvent également être portées. Vous devrez découvrir par vous-même ce que vous préférez.

Si, cependant, vous avez besoin des poids de trim dans la partie supérieure du corps, vous trouverez des pochettes de poids de trim plus petites près des bretelles sur certains gilets Si votre gilet n'en a pas, des attaches de câble (« colson ») existent, avec lesquelles 1 kg de lest peut être attaché assez bien aux sangles. Préférez les attaches de câble avec une languette en acier inoxydable, car elles sont plus solides. Les attaches de câbles disponibles dans le commerce comportent souvent des

111

languettes en plastique, qui se rompent très rapidement dans le froid, une exposition constante à l'eau de mer et une tension élevée en raison du poids du plomb. Au moins d'après mon expérience. La «languette» d'un serre-câble est le composant qui fait ce bruit de «cliquet» lorsque le serre-câble est fermé tout en glissant sur les zones striées du matériau. Il empêche l'ouverture du serre-câble en creusant dans le matériau et en se bloquant ainsi dans une direction.

En général, bien sûr, la même chose s'applique aux poids de trim si nécessaire, mais le moins possible. Comme c'est toujours l'air dans le gilet qui tire vers la surface il suffit souvent de laisser un peu d'air sortir du gilet pour ajuster le trim Cependant, cela peut vous faire découvrir que vous avez trop de plomb dans l'ensemble. Vous aurez probablement besoin de quelques plongées pour trouver la quantité parfaite de plomb et de trim pour l'équipement que vous portez. Mais cela n'a pas d'importance; bricoler peut même être amusant

**Les Techniques de Palmage**

En tant que plongeur normal, nous utilisons principalement pour avancer avec l'aide des palmes ce qu'on appelle la «jambe battante». La force vient principalement des hanches et des cuisses. Ainsi, lorsque nous palmons au fond de la mer en position horizontale sur le ventre, nous exerçons un battement comme un mouvement vers le fond et un deuxième battement comme un mouvement vers la surface de l'eau. Pendant le mouvement vers le bas la jambe est légèrement pliée au genou, lorsqu'elle revient vers le haut la jambe est presque droite. Avec l'aide des muscles du mollet, la voilure de la palme est toujours légèrement maintenue contre la pression exercée par l'eau, de sorte que nos palmes, comme pour les poissons, repoussent l'eau vers l'arrière et nous avançons donc vers l'avant. Tout le monde le sait et ce n'est que le moyen habituel de se déplacer sous l'eau.

Les plongeurs en grottes et les plongeurs sur épaves, qui sont dans un environnement plus ou moins fermé, utilisent ce qu'on appelle le mouvement de la grenouille pour éviter de remuer les sédiments. Étant donné qu'au niveau du genou les jambes sont pliées d'environ 90 degrés vers le haut, les voilures des palmes sont loin du sol et ne créent pas de tourbillons.

Les photographes sous-marins qui se sont trop approchés de leur sujet et ne veulent pas agiter les bras pour ne pas chasser le sujet qu'ils veulent photographier, utilisent le mouvement de palmage en arrière. Ce mouvement ne fonctionne pas avec toutes les palmes; il faut des voilures les plus rigides et les plus légères possibles, sans séparation au milieu. Plus les raidisseurs de voilure latéraux sont rigides et plus larges, meilleur sera l'effet de ce coup de palme arrière. Ce coup de palme est également appelé mouvement de grenouille en arrière.

Le mouvement de grenouille en arrière nécessite un peu de pratique. Pour votre information et vous rassurer: il y a également des instructeurs de plongée qui ne le maîtrisent pas. Oui, bien que je sois réticent à le dire, je dois admettre que les instructeurs de plongée ne sont aussi que des humains. ☺

Je ne peux pas faire le mouvement de grenouille en arrière avec mes lourdes palmes en caoutchouc. Quelle que soit la façon de faire je reste toujours sur place et je vais plutôt en avant qu'en arrière. Mais j'y travaille. Ce mouvement fonctionne assez bien avec mes palmes légères en plastique, mais bien sûr, je ne suis pas la perfection en toutes choses, et il y a certainement des plongeurs qui peuvent faire le mouvement en arrière même avec les palmes lourdes en caoutchouc .

Ensuite, il y a le style des dauphins que nous avons copié des dauphins et des sirènes. On garde les deux jambes parallèles et on fait le mouvement à partir de la hanche de haut en bas, par ondulations. Avec ce type de mouvement, on avance bien; mais il est aussi plus fatigant que le mouvement de palmage standard.

Ces 4 types de déplacement sous-marins sont les plus couramment utilisés en plongée sous-marine. Bien sûr, vous pouvez aussi simplement enlever vos palmes et marcher, mais cela endommagera le sous-sol et la flore et la faune; vous devriez donc éviter cela. Bien qu'il n'y ait rien à dire contre le fait de l'essayer en piscine, car la plongée peut aussi être amusante. Sur Internet, vous trouverez d'innombrables films sur les différents de palmage, donc je ne montrerai pas mes propres films ici.

Nous avons maintenant terminé la partie théorique de la formation Advanced Open Water Diver. Vous pouvez maintenant choisir les bases de 7 cours différents et demander à votre instructeur de vous en enseigner la théorie et la pratique. Les bases de la direction de palanquée et de l'orientation sous-marine se trouvent déjà dans ce livre et ont donc déjà illustré un cours complet en théorie. Pourvu que vous ayez tout lu attentivement et tout compris jusqu'à présent. Votre moniteur de plongée se fera un plaisir de répondre à toutes vos questions.


Maintenant, il ne vous manque qu'une introduction à un cours de spécialisation et vous avez donc le choix:

**Notions de base de plongée sur épaves.**

**Notions de base de plongée de nuit**

**Notions de base de plongée au Nitrox.**

**Notions de base de Biologie en eau douce.**

**Notions de base de Biologie en mer.**

Tous les centres de plongée ou instructeurs ne peuvent pas vous offrir tous ces cours, mais le cours le plus populaire est la plongée de nuit. Pour vous aider à trouver l'AOWD complet dans ce livre, j'ai couvert les bases de cette spécialisation dans la leçon de théorie suivante, donc si vous ne choisissez pas l'un des autres sujets, vous pouvez utiliser ce livre pour apprendre toutes les leçons théoriques de l'AOWD.

Bien entendu, IDA propose également les leçons théoriques correspondantes pour toutes les autres spécialisations optionnelles. Vous pouvez les commander sous forme de présentation Power Point sur DVD à l'adresse suivante::

IDA

K.Reimer@ida-worldwide.com

Pour certains cours, vous pouvez également opter pour la variante e-learning et l'activer, avec un DVD compris, sur www.ida-worldwide.com pour le cours en ligne. Vous pourrez l'utiliser ou pour vous informer et vous préparer à l'avance, avant un cours. Cependant, vous devrez toujours suivre ces cours sous la direction d'un instructeur de plongée reconnu et accompagnant la leçon.

## 4.5 Notions de base de Plongée de Nuit

**But du cours**

Le participant sera familiarisé en théorie et en pratique avec la planification, la préparation et la mise en œuvre en toute sécurité des plongées de nuit.

Après avoir terminé le cours, il sera à même

- en tant que plongeur dans un groupe, de contrôler les problèmes particuliers en sécurité ainsi que les dangers pendant les plongées de nuit.


- d'assembler le bon équipement pour les plongées de nuit


- d' utiliser des aides à l'orientation la nuit.

- de se comporter correctement pendant et après la plongée en ce qui concerne les relations avec le partenaire de plongée,

**Pourquoi vouloir plonger de nuit ?**

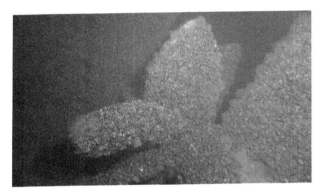

L'atmosphère sous l'eau la nuit est incomparable et unique. Les poissons qui nous fuient pendant la journée ne nous perçoivent souvent pas comme étrangers la nuit et restent près de nous. Les prédateurs nocturnes qui dorment pendant la journée peuvent être bien observés. Puisque nous plongeons avec une lampe de plongée, nous percevons les couleurs sous l'eau beaucoup plus que pendant la journée. Et à la fin, cela procure également un petit frisson si nous ne savons pas exactement ce que nous pouvons deviner dans l'obscurité. Mais n'ayez pas peur, votre Instructeur de plongée ne vous mettra jamais en danger et il / elle sait exactement quels animaux se trouvent à proximité. De plus, vous ne rentrez pas dans la catégorie des proies pour les poissons. Du moins pour 99,9% d'eux.

Bien sûr, il y a aussi beaucoup à prendre en considération lors d'une plongée de nuit et cela commence par le choix du lieu de plongée. Le site de plongée que nous souhaitons plonger de nuit doit, si possible, avoir été visité par nous plusieurs fois de jour. Cela évite une errance inutile dans l'obscurité

La plongée de nuit est déjà un type de plongée spécial et cette plongée ne doit donc être pratiquée que pour l'observation et ne doit pas comporter des difficultés supplémentaires, telles que des exercices d'urgence ou des tests de certification. À moins que cela n'ait été préalablement convenu et planifié avec précision.

Sinon, une plongée de nuit doit être préparée comme n'importe quelle autre plongée

**Donc, en général:**

Sélection de la zone de plongée.

Prise en compte des conditions environnementales.

Type de plongée (observation ou tournage / photographie, plongée d'exercice etc.).

Composition du groupe (toujours au moins un plongeur de nuit expérimenté dirigeant la palanquée).

Coffret de secours et d'oxygène à portée de main.

Téléphone et numéro de téléphone d'urgence à portée de main et également fonctionnel.

Convenir de la chaîne de sauvetage

Briefing et débriefing

Vérification du partenaire

**Spécifiquement** :

Gestion des urgences (notez qu'il y a des numéros d'urgence qui ne sont que peu ou pas accessibles la nuit. Veuillez vous en informer au préalable!)

Des équipements spécialement conçus pour les plongées de nuit (lampes, lampes de rechange, feux de signalisation pour la mise à l'eau et le retour éventuellement des feux de signalisation colorés (cyalume ou lumières froides, parce qu'ils respectent l'environnement, lampes avec dispositifs colorés) qui par exemple. rendent le chef de palanquée facilement reconnaissable,

Déplacement, surtout la nuit (repos nocturne, parking, éclairage du site de plongée, surveillance des véhicules automobiles, sanitaires).

Tenir compte du sommeil nocturne des humains et des animaux.

Pavillon Alpha illuminé

N'utilisez pas certaines sources de lumière telles que des lampadaires, des enseignes au néon ou des lumières dans les bâtiments dans votre orientation, car ces sources de lumière peuvent également être éteintes.

Tous les instruments doivent avoir des chiffres et des aiguilles luminescents et doivent être faciles à lire.

Toutes les batteries des lampes doivent être complètement chargées.

Convenir les signes sous-marin nocturnes

Exemple d'une lampe prévue pour la plongée

10 à 50 Watt

Peut être utilisée comme lampe principale

Différent types de réflecteurs

110 ° degrés

Pour filmer et photographier

25 ° degrés

Prévu comme lampe principale

10 ° degrés

Prévu comme lampe de recherche

119

Lampe de rechange 1 à 10 Watt

 La variété des lampes de plongée est très grande. Préférez les lampes à accus rechargeables.

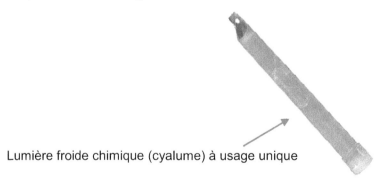

Lumière froide chimique (cyalume) à usage unique

Durée d'éclairage environ 4 à 8 heures, la luminosité diminue en continu. Pour marquer les personnes individuelles dans le groupe de plongée. Ils existent en différentes couleurs. Étant donné que ces bâton lumineux sont en plastique, ils doivent être éliminées correctement après la plongée, conformément à l'étiquette sur l'emballage, ou ne doivent pas être utilisées du tout pour des raisons de protection de l'environnement. Pour certaines petites lampes UW, il existe des accessoires colorés qui conviennent également au marquage et sont également réutilisables. Ceux-ci doivent être utilisés de préférence..

## Lampes de Plongée

Une lampe de plongée doit toujours être sélectionnée en fonction de l'objectif. Il est donc inutile de transporter une lampe de plongée volumineuse et lourde avec une grande capacité de batterie rechargeable, les jours de beau temps, pour l'allumer de temps en temps dans l'une ou l'autre grotte. Une petite lampe d'une puissance allant jusqu'à 10 watts suffit pour cela. Cependant, vous ne pourriez avoir à peine assez de lumière pour filmer ou prendre des photos, sauf si vous photographiez à une profondeur très faible.

Ci dessous quelques exemples

**Lampe principale:** Doit avoir au moins 20 à 150 watts et est utilisée pour l'observation et convient au tournage ou à la photographie (selon le réflecteur)

**Lampe de réserve:** 5 à 20 watts. Avec lui, vous pouvez continuer la plongée.

**Lampe de secours:** 1 à 5 watts. Avec cette lampe, la plongée doit être terminée correctement.

**Lampe flash:** Cette lampe est destinée aux urgences et ne doit être utilisée que pour attirer l'attention sur vous.

Les données de performance ci-dessus se réfèrent aux lampes halogènes. Aujourd'hui, il existe déjà de nombreuses lampes à LED qui ont un rendement lumineux élevé et nécessitent très peu d'énergie électrique (watts). Essayez-les!

### Composition de la Palanquée

La palanquée idéale se compose toujours de deux plongeurs. Cependant, il est souvent impossible d'éviter de plonger avec une palanquée nombreuse. C'est dans la nature des choses qu'avec le nombre de membres dans la palanquée le «risque» de perdre quelqu'un sous l'eau augmente. Cela se produit aussi très vite la nuit, lorsqu'une lampe vient à tomber en panne. Un groupe de 3 plongeurs peut encore bien se gérer la nuit. Le chef de palanquée est au milieu et les deux autres plongeurs sont à sa gauche et à sa droite. Étant donné que le chef de palanquée impose la vitesse et la direction, les deux autres membres du groupe sont légèrement décalés vers l'arrière, mais seulement de sorte que le chef de palanquée puisse les voir avec un coup d'oeil vers la gauche ou la droite. Si le chef de palanquée doit se retourner pour voir ses partenaires de plongée, ils sont trop loin.et il n'est pas toujours facile de maintenir cette formation tout au long de la plongée. Mais en fonction de la visibilité et du niveau d'obscurité, la distance latérale par rapport au chef de palanquée peut varier.

Chef de Palanquée

Groupe de 3 avec une distance d'environ 80 à 100 cm et légèrement décalé en arrière du chef de palanquée. La distance peut varier selon la visibilité. Cette taille de palanquée est la dimension la plus appropriée après le groupe de 2. Les palanquées plus importantes doivent être évitées si possible, en particulier pendant les plongées de nuit. Cependant, plusieurs petites palanquées, qui sont autonomes en elles-mêmes, peuvent être réunies pour former un groupe plus important. Le chef de palanquée du petit groupe garantit la sécurité de "son" groupe et en même temps veille à ce que son groupe ne perde pas la connexion avec l'ensemble des palanquées. De tels groupes ne sont possibles qu'avec des plongeurs très expérimentés et avec une très bonne visibilité

Chefs de Palanquée

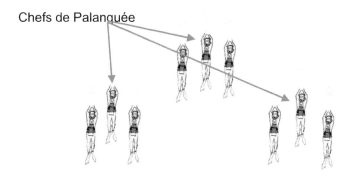

Étant donné que l'expérience a montré qu'il fait assez sombre la nuit même sous l'eau, les signaux manuels normaux ont relativement peu de sens, car ils sont généralement difficiles à voir ou pas du tout.

Par conséquent, nous pouvons envoyer deux signes très importants avec une lampe de plongée

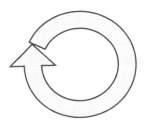                    

**Okay, Question et réponse**          **Quelque chose ne va pas**

Lorsque nous plongeons au-dessus du fond parallèlement les uns aux autres, ces signes sont «écrits» par la lampe sur fond de la mer ou de l'océan. Le caractère de gauche symbolise la question et la réponse pour "OKAY". Le signe de droite symbolise la réponse pour "QUELQUE CHOSE NE VA PAS ". On sait

124

comment réagir au bon signe. Recherchez le contact et la proximité avec le plongeur, essayez de clarifier où se situe le problème et s'il ne peut pas être résolu rapidement, remontez. En tant que chef de palanquée, assurez-vous également que le deuxième plongeur remonte aussi.

Si nous ne sommes pas exactement à proximité du fond du lac, ces signes peuvent également être envoyés, vers le partenaire de plongée en flottant librement en pleine eau,.

Si un autre signe doit être donné, il est éclairé au mieux avec votre propre lampe de plongée, mais sans éblouir personne. Pas même soi-même.

Si, malgré tous les soins et le respect des règles, un partenaire de plongée est perdu, on agira de même façon en plongée de nuit comme de jour, après une brève vue panoramique on remonte en surface. Cette procédure sera également abordée dans le briefing.

Si un partenaire de plongée devient agité ou anxieux, la plongée doit être arrêtée immédiatement

Impression lors d'une plongée de nuit sur une épave.

## 5.0 Plongeur ☆☆

### 5.1 But du cours

Le cours s'adresse à des candidats qui souhaitent planifier et effectuer des plongées de manière indépendante avec des partenaires de plongée qualifiés équivalents jusqu'à une profondeur d'eau de 40 mètres et qui souhaitent plonger avec un OWD / plongeur 1* jusqu'à 20 mètres de profondeur. Les participants doivent être formés à développer une autodiscipline pour se conformer à la planification de la plongée, pour évaluer correctement et éviter les situations problématiques, et pour pouvoir prendre des mesures correctives dans les situations d'urgence

### Réflexions sur l'équipement

La variété des différents équipements de plongée est grande et, du moins pour le débutant, déroutante. En plus des équipements de plongée selon EN - Euronorm décrits au début du livre, il y a bien sûr beaucoup d'équipements plus ou moins utiles mais aussi des variantes dans les équipements de base. Ainsi, au lieu d'un détendeur à piston peu coûteux, il y a des détendeurs à membrane plus coûteux ou bien des couteaux en titane de haute qualité au lieu du couteau en acier bon marché. Il existe des gilets qui ne grèvent pas lourdement le budget et des gilets (par exemple certains gilets dit « wings ») qui coûtent les yeux de la tête. Puisque vous avez décidé de choisir la voie pour devenir un plongeur avancé, tôt ou tard, vous serez également poussé de manière plus intense vers des équipements plus performants. Faites-vous conseiller, de préférence par l'Instructeur de plongée en qui vous avez confiance. Votre Instructeur de plongée (TL pour faire court) peut également vous proposer les différents cours de plongée, ou peut vous dire où suivre ces cours, car tous les Instructeurs ne proposent pas toutes les formations. IDA propose de nombreux cours intéressants avec lesquels vous pouvez développer vos compétences en théorie et en pratique.

## 6.0 Physique de la Plongée

En plus de la médecine, la physique est très importante pour nous, plongeurs. Pour pouvoir plonger en toute sécurité, il faut comprendre les différentes lois de la physiques et en tenir compte

## 6.1 Notions de Base

| Unités de mesure | Nom | Abréviation |
|---|---|---|
| Longueur | Metre | m |
| Temps | Seconde | s |
| Masse | Kilogramme | kg |
| Température | Kelvin | K |
| Température | degré Celsius | °C |

| Unités dérivées | Unité |
|---|---|
| Poids spécifique | kg / L |
| Pression | $N / cm^2$ |
| Pression | bar |
| VRM | L / min |

**La Densité…**

**…des solides et liquides** est *dépendante de la température.*

Les valeurs du tableau pour le poids spécifique des substances liquides et solides s'expriment à 20 ° C.
Il est courant d'indiquer les poids spécifique des substances solides et liquides en kg / dm³. Où 1 dm3 est un cube d'une longueur d'arête de 10 cm et le volume correspond à un litre.

**… des substances gazeuses** est *dépendante de la pression et de la température.*

Les valeurs des tableaux se réfèrent au poids spécifique standard ρn à 0 ° C et 1013,25 hPa. Il est courant d'indiquer le poids spécifique des substances gazeuses en kg / dm³.

Chaque substance est constituée de molécules et plus il y a de molécules par dm3, plus elle est dense et lourde. Cependant, la matière n'est pas le tissu dont est fait votre pantalon ou votre robe, mais la matière de tout objet. Donc, les arbres en bois / cellulose ou les voitures en acier et en plastique ou les mers en eau et ainsi de suite. Bien sûr, il existe également des mélanges de différentes matières, car les océans ne sont pas seulement de l'eau. Ils comprennent aussi des poissons, des minéraux et nous les plongeurs

**Poids spècifique de quelques substances solides:**

| | |
|---|---|
| Aluminium | 2,71 kg / dm³ |
| Acier, alliage | 7,9 kg / dm³ |
| Plomb | 11,34 kg / dm³ |
| Glace | 0,9 kg / dm³ |
| Or | 19,3 kg / dm³ |
| Laiton | 8,6 kg / dm³ |

| Titane | 4,4 kg / dm³ |
|---|---|

Nos bouteilles d'air comprimé sont généralement en aluminium ou en acier et leur poids ou leur flottabilité est assez perceptible lorsque le bloc de plongée ne contient pratiquement pas d'air. Nous utilisons le plomb comme poids de lestage, bien que l'or soit plus efficace avec le même volume. Si bien sûr on néglige le prix plus élevé

**Poids spécifique de quelques substances liquides:**

| Mercure | 13,5 kg / dm³ |
|---|---|
| Eau de Mer | 1,03 kg / dm³ |
| Eau Douce | 1 kg / dm³ |
| Alcool | 0,83 kg / dm³ |

L'eau est quelque chose de spécial, car nous ne pourrions pas vivre sans eau, d'autant plus que nous en sommes nous-mêmes composés majoritairement, soit environ 70% du corps d'un adulte.

Mais l'eau est aussi particulière car elle présente ce qu'on appelle une «anomalie de densité».

Une anomalie est quelque chose qui n'est pas normal, **L'eau est anormale car elle a sa plus grande densité à 4 degrés Celsius et diminue de densité à mesure que la température monte ou descend,** la rendant ainsi plus légère. Cela explique pourquoi l'eau gelée (glace) est plus légère que sa phase liquide et flotte en surface, et c'est aussi pourquoi l'eau à 4 degrés Celsius peut habituellement se trouver au fond du lac ou de la mer, car elle est plus lourde. Bien sûr, cela ne s'applique que si l'eau est calme et n'est pas agitée par des courants ou d'autres événements.

**Poids spécifique de quelques substances gazeuses:**

| | |
|---|---|
| Helium | 0,179 g / dm³ |
| Dioxyde de Carbone | 1,98 g / dm³ |
| Air | 1,29 g / dm³ |
| Oxygène | 1,47 g / dm³ |
| Azote | 1,25 g / dm³ |
| Vapeur d'eau(100°C) | 0,88 g / dm³ |
| Hydrogène | 0,09 g / dm³ |

Notre détendeur nous permet de respirer de l'air sous la pression ambiante et donc respectivement à n'importe quelle profondeur en provenance de notre bloc de plongée à air comprimé.

Le respiration est ainsi largement indépendante de la profondeur.

Par exemple nous remplissons nos poumons, d'un litre d'air à 1 bar de pression ambiante.

Cela correspond à un volume d'air de 1 bar x 1 L= 1 barL.

A une profondeur de 40 m selon la loi de Boyle-Mariotte cela correspondrait à un volume d'air de 5 bar x 1 L = **5 barL**

On sait qu'un litre d'air en surface, à 1 bar, a une masse (poids) d'environ 1,3 g.

En revanche, à une profondeur de 40 m, un litre d'air fait environ 6,5 g, cinq fois plus lourd qu'en surface!

**Le poids de l'air est donc cinq fois plus grand à une profondeur de 40 m et sa densité est cinq fois plus élevée**

**qu'en surface. Il devient plus visqueux, comme l'huile par rapport à l'eau**

Cela augmente considérablement le travail respiratoire dans les poumons pour déplacer le même volume d'air.

À une certaine pression ambiante (correspondant à la profondeur de plongée), le flux d'air laminaire dans nos voies respiratoires se transforme finalement en un flux turbulent. Cela se produit parce que nos voies respiratoires ont été optimisées pour la pression atmosphérique d'un bar au cours des derniers millions d'années. Parce que l'évolution physiologique humaine ne s'attendait pas à ce qu'un jour nous soyons comme des poissons et replongions dans l'élément d'où nous venions probablement antérieurement. Cette "constitution inadaptée" conduit donc à une augmentation de la résistance respiratoire et donc aussi du travail respiratoire.

Ceci, combiné à un effort accru et à d'autres facteurs favorisants, peut conduire à un essoufflement.

**L'augmentation de la densité des gaz respiratoires augmente le travail respiratoire en raison de la turbulence dans les voies respiratoires et peut entraîner une respiration pendulaire et un essoufflement (voir page 190)**

**Définition: source wikipedia:**

L'**essoufflement** (respiration courte) est un trouble qui survient souvent lors de la plongée, ce qui conduit finalement à un empoisonnement au dioxyde de carbone et peut entraîner des troubles graves voire à une perte de conscience.

Afin de compenser cet inconvénient de l'air, l'azote est partiellement remplacé par de l'hélium chez les professionnels et les plongeurs techniques, car l'hélium a une densité beaucoup plus faible que l'azote. Cependant, l'hélium refroidit très rapidement le corps en raison de sa conductivité thermique élevée. Par conséquent, il ne convient pas aux plongeurs sportifs. De plus, la teneur en oxygène du mélange de gaz respiratoire doit être ajustée (réduite) à de grandes profondeurs, sinon il se produit une intoxication à l'oxygène (empoisonnement).

## 6.2 Les 5 lois

J'ai déjà expliqué en détail les 5 lois les plus importantes pour les plongeurs récréatifs dans le livre 1, Théorie de base pour les plongeurs sportifs. Pour rappel, je ne répète ici que le contenu le plus important.

### 6.2.1 Henry

(William Henry, Chimiste anglais 1774 – 1836)

**Dissolution des gaz dans les liquides.**

Les gaz se dissolvent dans les liquides (voir aussi champagne et eau minérale).

**Au plus la pression du gaz à la surface du liquide est élevée, au plus le gaz s'y dissout.... Et aussi :**

**..et au plus le temps d'exposition à la pression est long.**

**.. et au plus la température du liquide est basse**

Ce qu'on appelle les coefficients de dissolution des gaz dans les liquides jouent également un rôle dans le comportement de la solution. Cependant, ces facteurs ne sont pas intéressants pour nous les plongeurs, car ils ont déjà été inclus dans le calcul des tables de décompression et dans les programmes de calcul des ordinateurs de plongée.

En **descendant** (augmentation de la pression), la **saturation** se produit.

**La saturation** se produit lorsque la somme des molécules de gaz entrant dans le liquide est supérieure à la somme des molécules de gaz sortant. Les gaz se dissolvent de plus en plus dans les tissus du plongeur

Si vous restez à une **profondeur pendant longtemps**, vous serez **saturé** à un moment donné

Cet état est appelé **saturation** lorsque la somme des molécules de gaz entrantes est égale à la somme des molécules de gaz sortantes. Le gaz dissous reste dans le tissu.
La **remontée** (diminution de la pression) entraîne une **désaturation.**

**La désaturation** se produit lorsque la somme des molécules de gaz entrantes est inférieure à la somme des molécules de gaz sortantes. Le gaz dissous sort de la solution et est normalement expiré par les poumons.

Si le gaz dissous s'échappe trop rapidement ou en trop grande quantité (en raison d'une remontée trop rapide) pour être expiré par les poumons, un accident de décompression (« mal des caissons ») se produit.

Tous les gaz que nous respirons ne sont pas métabolisés dans le corps. Les gaz **dits inertes tels que l'azote, l'hélium, le néon, l'argon, le krypton et le xénon** se dissolvent seulement dans le sang et sont "stockés" dans les tissus! Ces gaz inertes n'ont aucune action biochimique avec le corps. Étant donné que l'azote est le gaz contenu en plus grande quantité dans l'air que nous respirons avec près de 79%, pour cette raison il posera aussi le plus de problèmes.

La saturation des gaz dans l'organisme dépend du type de tissu. Nous parlons de tissus rapides et de tissus lents. Les tissus rapides tels que le sang, les reins, les tissus pulmonaires et les muscles sont fortement vascularisés par le sang. Bien sûr le sang n'est pas à proprement parlé «vascularisé par le sang», mais c'est un tissu rapide dans le sens que c'est lui qui transporte le gaz dissout depuis et vers les poumons.

Les tissus moyens (peau, nerfs) ont moins de flux sanguin.

Les tissus lents tels que les os, les ligaments, les tendons et le cartilage sont moins bien vascularisés par le sang

Selon leur vascularisation, ces tissus absorbent les gaz rapidement ou lentement, mais libèrent également ces gaz tout aussi rapidement ou lentement

## 6.2.2 Archimedes

(Mathématicien et physicien grec 287 à 212 (environ) av. JC)

Il a développé son célèbre principe pour déterminer si la couronne du roi Hiéron II était bien en or massif.

Un corps complètement ou partiellement immergé dans un liquide subit une flottabilité positive qui correspond au poids du liquide qu'il déplace.

Formulé autrement:

**Un corps immergé dans l'eau semble perdre autant de poids que le poids du liquide qu'il déplace**

Cela explique pourquoi nous avons besoin de plus de plomb pour plonger en eau salée que pour une plongée en eau douce. Parce que, basé sur le fait que nous déplaçons la même quantité d'eau dans les deux types d'eau (sauf si nous aurions grossi un peu entre les deux, ce qui ne doit pas être le cas), le poids de l'eau salée est légèrement supérieur au poids de l'eau douce. Parce que dans l'eau salée, comme son nom l'indique, le sel est dissous et cela fait augmenter le poids spécifique de l'eau salée. Et , il n'y a pas de sucre dissout dans l'eau douce. On l'appelle « eau douce » parce qu'**aucun** sel n'y est dissous. Ce qui, à proprement parler, n'est pas vrai non plus, car ce n'est que dans l'eau distillée qu'il n'y a pas de sel, bien que le sel représente ici tous les minéraux dissous. L'eau douce est donc plus légère que l'eau salée, nous avons donc besoin de moins de plomb dans l'eau douce que dans l'eau salée.

Je ne pense pas que je pourrais essayer de plonger dans la «Mer Morte»., et vous ? Amusez-vous. ☺

Un de mes bons amis est un plongeur professionnel et doit parfois travailler et plonger dans des réservoirs dits d'assainissement des eaux usées dans une station d'épuration

Source wikipedia:

La **fosse septique** (également fosse d'épuration) est, contrairement à la fosse à fumier ou à la fosse à purin, une fosse pour l'assainissement de fortune de petites quantités d'eaux usées utilisée dans les maisons individuelles qui ne sont pas raccordées au système d'égouts public. Il s'agit de la forme de traitement des eaux usées la plus ancienne et la plus simple sur le plan structurel. Leur exploitation en Allemagne est interdite depuis 2015 pour des raisons de protection de l'environnement

La densité du liquide dans un tel réservoir est considérablement plus élevée que la densité de l'eau salée. Vous pouvez imaginer le pourquoi. Au moins pour moi, il est clair que je ne veux jamais devenir plongeur professionnel.

**Conclusion:**

Un corps (dans notre cas un plongeur entièrement équipé) qui se comporte comme suit : :

S'il flotte, il a une densité plus faible (densité totale) que le liquide dans lequel il nage / plonge.

S'il reste entre deux eaux, il a la même densité (densité totale) que le liquide qui l'entoure.

S'il coule, il a une densité plus élevée (densité totale) que le liquide qui l'entoure.

La densité totale d'un plongeur est constituée de toutes les matières qu'un plongeur emporte avec lui et dont il est fait

Je vais maintenant nous épargner la liste de ces matériaux, car vous savez vous-même ce que vous transportez en plongée et aussi que vous êtes majoritairement composé d'eau vous-même (désolé, je ne veux pas vous offenser, mais c'est comme ça) . Vous pouvez non seulement déterminer vous-même votre densité globale, mais aussi la modifier pendant la plongée. Par exemple, prendre  beaucoup ou peu de plomb avec vous, changer votre combinaison  quand il fait chaud, ou gonfler ou purger votre gilet. Soit dit en passant, les statistiques des accidents de plongée montrent que de nombreux plongeurs accidentés sont parfois retrouvés sur le fond marin, avec leur ceinture de lest encore attachée. Certes, si vous n'avez pas fabriqué vos plombs vous-même, mais les avez acheté, une ceinture de lestage complète coûte rapidement 100 euros et plus, mais peu importe le prix, votre vie est considérablement plus précieuse. Donc, **en cas d'urgence, libérez vous de votre ceinture de lest**. Personne ne peut vous aider au fond de la mer, mais certainement mieux en surface. Et rappelez-vous que lorsque la ceinture de lest est larguée, on remonte généralement très rapidement et si vous ne n'expirez pas l'air qui est dans vos poumons, il y a presque 100% de risques de déchirure pulmonaire. Alors remarquez: **si votre ceinture de lest est larguée, expirez autant que vous le pouvez !**

### 6.2.3 Boyle & Mariotte

(Robert Boyle 1661, Physicien Irlandais et Edme Mariotte 1676, Physicien français)

La loi Boyle Mariotte exprime quelque chose sur la relation entre la pression et le volume. Les gaz étant compressibles, c'est-à-dire pouvant être comprimés, leur volume change naturellement.

Parce que ce qui est compressé devient moins volumineux. Par souci de simplicité, prenons un ballon que nous avons gonflé à la surface et qui a maintenant un volume de 2 litres. La pression dans le ballon est légèrement supérieure à la pression ambiante d'un bar, sinon l'enveloppe en caoutchouc ne serait pas tendue et ne se déchirerait pas non plus quand elle éclate

Maintenant, nous emportons ce ballon et plongeons avec lui, ce qui nécessite un peu de force dans les jambes, mais c'est faisable. Comme nous descendons en profondeur, la pression ambiante augmente, comme nous l'avons déjà appris. Le gaz dans le ballon est maintenant comprimé de telle sorte qu'il y ait toujours la même pression à l'intérieur du ballon qu'à l'extérieur du ballon. Lors de la compression, le ballon devient plus petit, mais la pression dans le ballon augmente. Maintenant, nous avons atteint une profondeur de 10 mètres et constatons que le ballon est devenu beaucoup plus petit et est maintenant beaucoup plus facile à tenir car sa flottabilité a diminué. MM. Boyle et Mariotte ont constaté que le ballon fait maintenant exactement la moitié du volume qu'il avait à la surface et que la pression à l'intérieur est exactement le double de celle de la surface. A savoir, la pression qui règne à une profondeur de 10 mètres, soit 2 bar. Ils en ont fait une formule, qui est:

$$P \times V = K$$

P signifie la pression. V signifie le volume et K signifie une constante!

La pression est donc inversement proportionnelle au volume pour une certaine quantité de gaz. Si la pression baisse, le volume augmente, la pression augmente, le volume diminue.

## S'applique aux gaz parfaits:

**A température constante, le volume d'une certaine quantité de gaz est inversement proportionnel à sa pression.**

Si vous respirez maintenant profondément à une profondeur d'eau de 30 mètres sur votre détendeur et remplissez ainsi la totalité de votre volume pulmonaire, vous avez, ainsi, 4 litres d'air dans vos poumons.

Comme vous êtes à une profondeur de 30 mètres, vous avez une pression pulmonaire interne identique à la pression de l'eau environnante, à savoir 4 bars.

Selon la loi de Boyle & Mariotte, vous avez 4 litres d'air fois 4 bar de pression ambiante, ce qui équivaut à 16 barL (barlitre) dans vos poumons.

16 est donc la constante "k" avec laquelle nous calculons.

J'ai préparé quelques poumons (avec l'autorisation de Jean Pütz) et les ai illustrés à gauche et à droite sur la page suivante.

Les poumons de gauche ne montrent aucun changement lors de la montée de 30 à 0 mètres, car vous avez non seulement fait attention en classe, mais aussi vous avez respiré normalement et régulièrement sur votre détendeur pendant que vous vous remontiez vers la surface. Très bien, parce que c'est comme ça que ça devrait être. Cependant, les poumons du côté droit changent de volume à la montée car ils augmentent de volume, si malheureusement ce plongeur n'a pas fait attention pendant le cours et n'a pas expiré en remontant, ou quelle qu'en soit la raison. Comme il est facile de le voir, les poumons «se développent» car la pression ambiante diminue et l'air dans les poumons se dilate. Idéalement, les poumons auraient un volume de 16 litres à la surface. Même le coureur cycliste le plus performant n'a pas un tel volume pulmonaire. Ce qui signifie en texte clair que les poumons de ce plongeur se déchireront après une courte distance de remontée, ce que la **ligne rouge** est censée indiquer. Un tel accident entraîne souvent la mort du plongeur. Mais comme vous expirez toujours régulièrement dans votre détendeur et ne retenez jamais votre respiration en remontant, quelque chose comme ça ne peut pas vous arriver. Étant donné que personne n'est à 100% comme les autres,

138

l'élasticité des poumons n'est pas très facile à spécifier par un pourcentage. Dans un cas, les poumons se déchirent plus tôt, dans l'autre un peu plus tard. Je n'ai trouvé aucune donnée médicale fiable à ce sujet

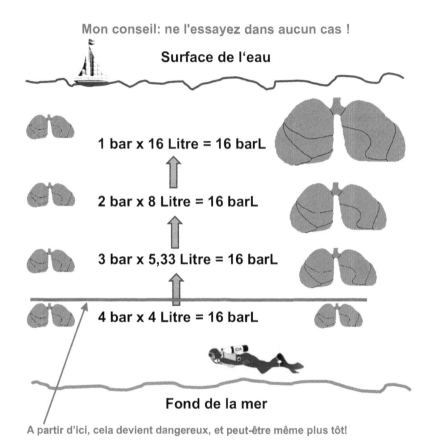

Mon conseil: ne l'essayez dans aucun cas !

Surface de l'eau

1 bar x 16 Litre = 16 barL

2 bar x 8 Litre = 16 barL

3 bar x 5,33 Litre = 16 barL

4 bar x 4 Litre = 16 barL

Fond de la mer

A partir d'ici, cela devient dangereux, et peut-être même plus tôt!

## 6.2.4 Gay Lussac

(Chimiste et physicien français 1778 à 1850)

La loi de Gay Lussac stipule que la pression d'un gaz dans une enceinte scellée (c'est-à-dire dans la bouteille d'air comprimé) change avec la température dans un même volume (c'est-à-dire le volume de la bouteille d'air comprimé, par exemple 10 litres). Cela signifie que si la température augmente, la pression augmente et si la température baisse, la pression baisse également. Lors du remplissage, le bloc de plongée devient très chaud et la pression de remplissage serait donc d'environ 220 bars. Après refroidissement, la pression se stabilisera à environ 200 bars. C'est de la physique et il n'y a aucune raison de poursuivre l'opérateur du compresseur pour fraude. Si le volume reste constant, la pression par degré Celsius de réchauffement augmente de 1/273 de la pression à 0 degré Celsius.

En plus un petit calcul, pour clarification

Je peux comprendre que vous ne soyez pas vraiment intéressé par les formules, mais vous ne devriez pas ici étudier la physique ou les mathématiques, mais juste comprendre quelles sont les relations

La formule s'écrit

$$\frac{P x V}{T} = Constante$$

Dans laquelle **P** pour Pression, **V** pour Volume

et **T** pour Température en Kelvin

Cependant, étant donné que nous avons maintenant une **situation avant et après**, en raison du fait que la température change et que cela affecte la pression, nous devons changer la formule afin d'avoir deux fois la température et deux fois la pression.

Ainsi rapidement transformée la formule donne ceci :

$$\frac{P_1 x V_1}{T_1} = \frac{P_2 x V_2}{T_2}$$

Le 1 correspond à l'état initial, le 2 à l'état final, c'est-à-dire après le changement de température.

Nous supposons maintenant la situation suivante car elle se produit des milliers de fois par jour sur les compresseurs de ce monde

**Votre bloc s'est réchauffé jusqu'à 50 ° Celsius pendant le remplissage. La pression de remplissage à ce point est de 200 bars. Lorsque vous atteignez le site de plongée, votre bloc a refroidi à la température ambiante de 5 ° Celsius.**

**Quelle pression de remplissage votre bloc aura-t-il maintenant?**

$$\frac{P_1}{T_1} = \frac{P_2}{T_2} \rightarrow P_2 = \frac{P_1 \times T_2}{T_1}$$

La température T doit être entrée dans la formule en Kelvin. Cela nécessite une conversion de ° Celsius en Kelvin.

## Connaissances de base

**Source wikipedia**

Le Kelvin (symbole d'unité: K) est l'unité de base du SI de la température en thermodynamique et en même temps l'unité de température légale. Dans de nombreux pays européens, le degré Celsius (signe unité: ° C) est également une unité légale pour indiquer les températures Celsius Une température de 0 ° C correspond à 273,15 K

La valeur numérique d'une différence de température dans les deux unités Kelvin et degrés Celsius est la même.

Le Kelvin a été nommé d'après William Thomson, qui a eu plus tard le titre de Lord Kelvin, et qui a introduit l'échelle de température thermodynamique à l'âge de 24 ans. Jusqu'en 1967, le nom de l'unité était les degrés Kelvin, le symbole de l'unité était ° K. Les différences de température sont également données en Kelvin; l'ancienne spécification de « degrés » (°) n'est plus autorisée.

Le **degré Celsius** est une unité de mesure de la température, qui a été appelée ainsi d'après Anders Celsius

Alors que M. Celsius se basait sur le point de congélation de l'eau (0 degrés Celsius) et le point d'ébullition de l'eau (100 degrés Celsius), Lord Kelvin a préféré s'en tenir à l'arrêt absolu du mouvement des particules atomiques, à savoir à moins 273,15 degrés Celsius ou 0 Kelvin, ce qu'on appelle aussi le « zéro absolu »

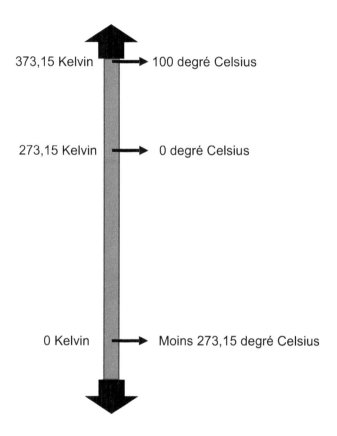

373,15 Kelvin ➤ 100 degré Celsius

273,15 Kelvin ➤ 0 degré Celsius

0 Kelvin ➤ Moins 273,15 degré Celsius

**Comparaison entre Kelvin (K) et degrés Celsius (° C)**

**Par calculs**

143

Étant donné que le volume ne change pas, nous n'avons pas besoin de le considérer, donc ce qui suit s'applique:

$$\frac{P_1}{T_1} = \frac{P_2}{T_2} \rightarrow P_2 = \frac{P_1 \times T_2}{T_1}$$

La température T doit être entrée en Kelvin dans la formule. Cela nécessite une conversion de ° Celsius en Kelvin. Nous calculons uniquement avec des nombres entiers et omettons les 0,15 car ils ne changent presque rien dans le résultat.

$T_{Kelvin} = T_{Celsius} + 273°Celsius$

$T1_K = 50°C + 273°C = 323K$

$T2_K = 5°C + 273°C = 278K$

$$P_2 = \frac{200bar \times 278K}{323K} = 172,14bar$$

Le bloc est maintenant à une pression de 172,14 bar.

Lorsque nous avons la formule, tout ce que nous avons à faire est de remplir les chiffres, puis de multiplier et de diviser. Ce sont des opérations arithmétiques de base de l'école primaire, donc un jeu d'enfant. De plus, de tels calculs sont plutôt rares dans la pratique quotidienne. Vous n'avez donc pas à vous soucier d'avoir à faire ce calcul avant chaque plongée.

### 6.2.5 Dalton

(Dalton, John, Naturaliste anglais 1766 – 1844)

L'air que nous respirons est un mélange de différents gaz. L'azote, l'oxygène, les gaz rares (argon, xénon…), le dioxyde de carbone et la vapeur d'eau, ainsi que les tout nouveaux oxydes d'azote et poussières fines. Nous ne nous intéressons qu'aux gaz qui nous intéressent à savoir l'azote, l'oxygène et le dioxyde de carbone. Tous les autres composants ne sont pas pertinents pour nous en tant que plongeurs. De plus, nous respirons sous l'eau de l'air hautement purifié et sèché des compresseurs des centres de plongée du monde entier. C'est presque de l'air pur de montagne qui en plus a également été séché.

Donc, comme nous l'avons déjà appris dans le premier livre de IDA, l'air que nous respirons se compose de :

**78 % Azote**

**21 % Oxygène**

**1 % Gaz Rares (incl. 0,04 % Dioxyde de Carbone)**

Si j'ai abordé le sujet dans le premier livre au sujet de la loi de Dalton, et sur mes amis de la bande dessinée, les Daltons, je vais maintenant procéder de manière plus objective ici, car nous sommes déjà des plongeurs expérimentés. Du moins.la plupart d'entre nous

La pression atmosphérique à laquelle nous sommes soumis au niveau de la mer (zéro normal) est de 1 bar (plus exactement 1013 mbar). Dalton a maintenant découvert que la pression totale est la somme des pressions partielles individuelles des gaz. La phrase dont je me souviens est donc:

Les gaz individuels sont impliqués dans la pression totale d'un mélange gazeux en fonction de leur fraction volumique. La somme des pressions partielles individuelles donne la pression totale.

Traduit dans une formule, cela donne ce qui suit:

$$P_1 + P_2 + P_3 + P_4 + P_5 \ldots\ldots\ldots\ldots = P_{totale}$$

$P_1$ représente la pression d'azote

$P_2$ représente la pression d'oxygène

$P_3$ représente la pression des gaz rares restant

$P_4 + P_5$ n'existe pas dans notre mélange.

**Le calcul selon la loi donne ce qui suit:**

**La pression totale au niveau de la mer est de <u>1,0 bar</u>**

**$P_1$ fraction de l'azote 78 % donne 0,78 bar partiel**

**$P_2$ fraction de l'oxygène 21 % donne 0,21 bar partiel**

**$P_3$ fraction des gaz rares 1 % donne 0,01 bar partiel**

**0,78 bar + 0,21 bar + 0,01 bar = <u>1,0 bar</u>**

Et encore une fois, nous avons notre pression totale de 1 bar à la surface. Une simple addition, donc encore un jeu d'enfant. Nous nous devrons très bien nous souvenir de ce jeu d'enfant, quand nous aborderons le sujet de la médecine de la plongée, il sera là très important à ce moment.

Nous verrons quelques calculs simples pour déterminer les effets médicaux des gaz sous une pression accrue.

Quiconque croit que les gaz se comportent toujours de la même manière, quelle que soit la pression sous laquelle ils se trouvent, se demandera ce qui se passe plus tard, quand il sera victime d'une ivresse des profondeurs. Parce que les effets des gaz sur le corps humain changent lorsque la pression sous laquelle le gaz se trouve se modifie.

Par exemple, l'oxygène devient toxique à partir d'une pression de 1,4 bar et l'azote a généralement un effet narcotique si la pression de ce gaz augmente. La tolérance à ces effets de la pression du gaz est extrêmement élevée pour certains plongeurs et extrêmement faible pour d'autres. Ici aussi, il existe une large plage de survenance des effets.

### 6.2.6 Effet Joule-Thomson

Dans le premier étage du détendeur, la pression de bouteille de 200 bars est réduite à la pression de travail en une seule étape. Et ainsi MM. Joule (James Prescott Joule, physicien britannique, 1818 à 1889) et Thomson (William Thomson lord Kelvin, physicien britannique, 1824 à 1907) ont constaté que les gaz qui se détendent au niveau d'une buse prélèvent l'énergie nécessaire sur l'environnement. et ainsi génèrent du froid, le premier étage est donc refroidi lors de la respiration sur le détendeur. Ce processus de réfrigération est appelé du nom d'effet Joule-Thomson mentionné ci-dessus. Maintenant, vous vous demandez peut-être pourquoi je vous dit cela? Parce que cet effet Joule-Thomson peut gâcher votre plongée! Il peut toujours arriver qu'une goutte ou deux d'eau se faufilent dans le premier étage. Soit parce que vous n'avez pas suffisamment appuyé votre pouce sur l'entrée haute pression du premier étage lors du rinçage, soit parce que l'opérateur du compresseur n'a pas pris suffisamment au sérieux le séchage de l'air respirable. Cela peut également se produire si vous avez activé la purge lors du rinçage à l'eau douce du détendeur. L'eau peut remonter vers le premier étage via le tuyau moyenne pression. Si la goutte rencontre le froid dû à la détente du gaz au premier étage, elle gèle et bloque le fonctionnement du premier étage. En règle générale, votre détendeur, c'est-à-dire le deuxième étage, fuse de manière incontrôlable jusqu'à ce que la bouteille soit vide ou jusqu'à ce que votre partenaire ferme le robinet de votre bloc de plongée. En raison de l'eau gelée dans le premier étage, il ne peut plus se fermer et la moyenne pression augmente jusqu'à ce que le deuxième étage, en raison de la conception, s'ouvre et l'air fuse dans l'eau. Ce processus est appelé **givrage interne**. Dans un tel cas, restez calme et donnez à votre partenaire le signe "ne plus avoir d'air" s'il ne l'a pas remarqué lui-même. Prenez ensuite le détendeur octopus de votre partenaire, qu'il vous a bien sûr offert immédiatement, et interrompez la plongée ensemble. Après cette expérience, apportez votre bloc de plongée et vos détendeurs au revendeur spécialisé en qui vous avez confiance et dites-lui ce qui s'est passé. Il peut alors regarder dans votre bouteille et voir si elle contient de l'humidité. Il inspectera votre détendeur et le séchera si nécessaire. De même que le givrage interne, il y a le givrage externe, qui n'a rien à voir avec l'humidité dans la bouteille ou dans le premier étage, mais fera toujours fuser votre deuxième étage. La plupart des fabricants de détendeurs offrent des capuchons de protection contre le givrage externe. Posez la question à votre instructeur de plongée ou au revendeur spécialisé en qui vous avez confiance. Il existe des détendeurs qui ont une très haute tolérance au givrage et d'autres qui givrent plus rapidement. Les premiers étages des détendeurs sont contrôlés soit par des membranes soit par des pistons. En règle générale, les détendeurs à membrane sont les plus chers, mais aussi selon certains les mieux protégé, mais c'est rarement vrai, car beaucoup de détendeurs à membrane givrent aussi vite que ceux à piston. Faites vous conseiller…. Et surtout essayez-vous même !!

## 7.0 Acoustique

## 7.1 Notions de Base

**Source wikipedia**

**Le son** fait généralement référence aux vibrations mécaniques dans un milieu élastique (gaz, liquide, solide). Ces vibrations se propagent sous forme d'ondes sonores. Dans l'air, les ondes sonores sont des fluctuations de pression et de densité.

Afin de pouvoir percevoir le son, l'évolution ou, éventuellement, le bon Dieu nous a donné des oreilles. Nous pouvons également capter le son à travers les os du crâne, ce qui fonctionne particulièrement bien dans l'eau.

Dans l'air, la vitesse du son est donnée à 343 mètres par seconde. Dans l'eau, elle est de 1480 mètres par seconde, ce qui est 4,3 fois plus élevé que dans l'air. Bien sûr, ce ne sont que des valeurs approximatives, car en fonction de la composition de l'eau ou de l'air, ces valeurs changent également légèrement. Cependant, il existe un lien clair entre la vitesse du son et la densité du support dans lequel le son se propage. En règle générale, plus le milieu est dense, plus la vitesse du son est élevée. Par exemple, si vous mettez l'oreille sur le rail en acier d'un chemin de fer, vous pouvez entendre si un train arrive, même s'il est encore très loin. Dans le passé, les «hobos» (cheminau) en Amérique utilisaient ce système pour trouver leur moyen de déplacement « gratuit » par le train. En raison de ce système, et de la vitesse actuelle des trains, il n'y a probablement plus de «hobos» en Amérique, comme les trains d'aujourd'hui roulent  assez rapidement (jusqu'à 300 km / h et plus), il est préférable de ne pas le faire ou demander à quelqu'un d'autre d'écouter. ☺

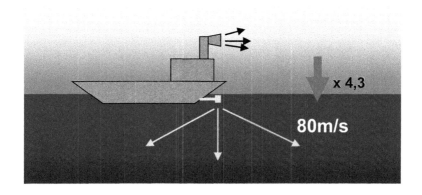

Le son se propage généralement de manière sphérique, à partir de la source sonore.

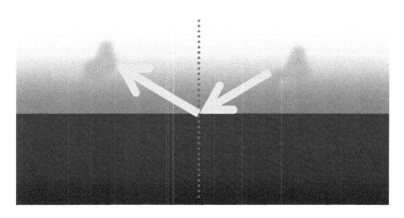

Le son produit au-dessus de la surface de l'eau est largement réfléchi et ne pénètre pas dans l'eau

**Propagation du son sur terre**

343 Mètres par seconde (m/s)

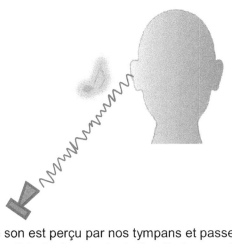

Sur terre, le son est perçu par nos tympans et passe à travers les osselets jusqu'à la fenêtre ovale de l'oreille interne. Le cerveau calcule l'emplacement de la source sonore sur la base de ce qu'on appelle la différence de temps de transit du son, à savoir que, selon l'endroit où il est produit, le son frappe d'abord l'une puis l'autre oreille. Cela fonctionne très bien sur terre à une vitesse du son d'environ 340 m / s. Le son qui frappe notre corps, qui est en grande partie constitué de liquide, est principalement réfléchi.

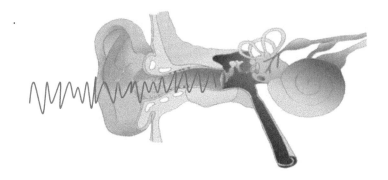

**Propagation du son dans l'eau**

1480 Mètres par seconde (m/s)

Sous l'eau, le son est perçu par tout notre corps.

Le son qui frappe notre corps, qui est en grande partie composé de liquide, est transmis à travers tout le corps et, par conséquent, arrive non seulement au tympan, mais est transmis en même temps.au tympan, aux osselets et à la cochlée

.

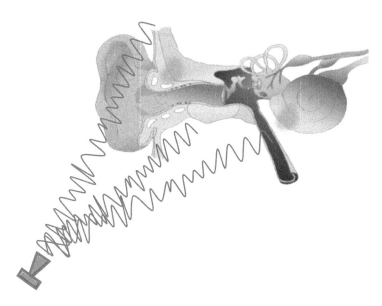

La source sonore ne peut donc plus être localisée dans ce cas ci car le son frappe tout le corps à grande vitesse et le pénètre.

## 8.0 Optique

### 8.1 Notions de base

La lumière est réfractée lors du passage d'un support à un autre.

L'œil humain est habitué au milieu de l'air. Mais l'eau, le verre et d'autres substances sont également des milieux qui peuvent aussi être pénétrés par la lumière

On ne peut voir une image nette sous l'eau qu'avec un masque de plongée. Il existe des verres optiques correcteurs pour de nombreux masques de plongée pour ceux qui portent des lunettes, et les lentilles de contact pour les sportifs sont également tout à fait adaptées au port sous le masque de plongée.

Plus les rayons lumineux atteignent l'interface air-eau, et plus ils pénètrent dans l'eau. Mais encore, plus l'angle est grand, plus la lumière est réfléchie; Dans le sens depuis l'eau vers l'air, à partir d'un angle de 48 ° (par rapport à la verticale) il y a réflexion totale dans l'eau

**Réflexion**

Pas de Reflexion    Réflexion partielle    Réflexion totale

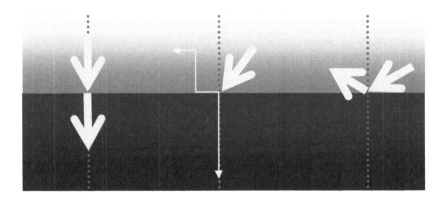

Cet effet de réflexion totale se produit donc principalement ,
lorsque le faisceau lumineux passe de l'eau vers l'air

**Réfraction**

Comme pour le son, la vitesse de la lumière dans l'eau est
différente de celle dans l'air; elle est environ 1/3 plus élevé dans
l'air. L'effet est que les rayons lumineux changent légèrement de
direction lorsqu'ils entrent dans l'eau, c'est-à-dire qu'ils sont
« brisés »

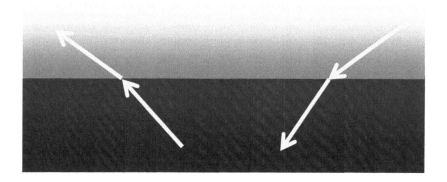

En raison de cette réfraction différente de la lumière dans l'eau
(indice de réfraction 1,33) et dans l'air (indice de réfraction 1,0),
tous les objets dans l'eau semblent agrandis de 1/3 et plus
proches de 1/4 lors de leur situation dans l'espace. Donc, sous
l'eau, nous voyons l'objet 1/3 plus grand et 1/4 plus près qu'il ne
l'est vraiment

Étant donné que ces deux facteurs sont souvent confondus, voici mon astuce.

Moyen mnémotechnique: un tiers est plus grand qu'un quart. Pensez à un gâteau. Vous avez maintenant le choix de préférer un tiers du gâteau ou un quart. Un tiers du gâteau est plus grand qu'un quart, donc j'en prendrais un tiers. Mais il y a des gens qui n'aiment pas autant le gâteau que moi. Un tiers (est) plus grand qu'un quart, très facile.

### Diffusion

Les rayons lumineux frappent les particules en suspension dans l'eau qui diffusent les rayons incidents. L'effet est que cela apparaît comme un voile devant le visage. La visibilité est limitée et les contrastes deviennent plus faibles. Si vous pensez que tout ira mieux lorsque vous allumerez votre lampe de plongée, vous vous trompez. Parce que peu importe la quantité de lumière que vous apportez dans l'obscurité, les particules en suspension en refléteront toujours la majeure partie et vous continuerez à fouiller dans le brouillard. Aussi incroyable que cela puisse paraître, lorsque vous éteignez votre lampe, la visibilité s'améliore. Au moins pendant la journée ou lorsqu'il y a suffisamment de luminosité ambiante. Si on le fait la nuit, il ne fait qu'augmenter l'obscurité

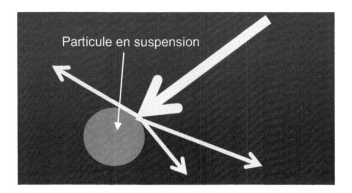

Particule en suspension

Les particules en suspension sont toutes les particules qui ne sont pas dissoutes dans l'eau, c'est-à-dire les algues, la poussière, le sable, etc.! Non, même un plongeur parfaitement équilibré ne doit pas être appelé une particule en suspension. Bien que j'aime l'idée. ☺

## Absorption

L'eau absorbe (avale) la lumière. Plus nous descendons profondément, moins la lumière y pénètre. Cependant, la lumière n'est pas absorbée dans son ensemble, mais dépend du contenu énergétique des couleurs individuelles. Les experts parlent ici de la longueur d'onde de la lumière.

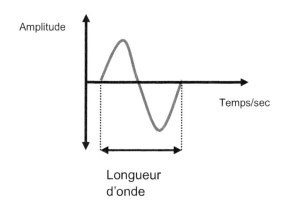

Longueur d'onde de lumière visible.

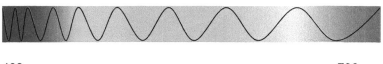

400 nm                                                        700 nm

Plus la longueur d'onde de la lumière (la couleur) est courte, plus la lumière (de cette couleur) est énergique. Le rouge, en tant que couleur ayant la plus longue longueur d'onde, est absorbé en premier, le violet avec une courte longueur d'onde, l'est seulement en dernier. Cela explique également pourquoi notre gilet de stabilisation rouge, qui peut être bien vu à la surface de l'eau, semble perdre sa couleur après quelques mètres sous l'eau et plus nous descendons, plus l'environnement devient de moins en moins coloré et passe du vert au bleu. Le dessin de la page précédente montre que les couleurs sont rangées dans l'ordre

Rouge – Orange – – Vert – Bleu – Violet


De perte d'intensité. Cependant, si vous reprenez votre lampe, qui était inefficace à la page 155, et que vous l'allumez, vous verrez à nouveau la gamme complète de couleurs. Tout simplement parce que vous avez apporté votre propre lumière blanche avec vous. Parce que la lumière blanche est une composition de toutes les couleurs. Il est donc judicieux de toujours avoir une ou plusieurs lampes avec vous lorsque vous filmez ou prenez des photos sous l'eau

## 9.0 Influence de la Température

La température ambiante est particulièrement importante pour nous, plongeurs.

Au milieu de l'eau qui nous entoure, nous devons nous protéger du refroidissement.

Selon le milieu qui nous entoure, nous avons différentes conductivités thermiques.

Nous pouvons être influencés par le rayonnement thermique, la conduction thermique ou la convection thermique

En réalité, il est très rare qu'un seul type de transmission se produise, généralement c'est toujours une combinaison.

Nous notons que la conduction thermique est le principal facteur pour les substances solides et le convection pour les fluides

## 9.1 Notions de base

Chaque milieu conduit la chaleur différemment.

Nous parlons de la conductivité thermique d'un milieu.

Il s'agit d'une caractéristique de qualité de ses propriétés d'isolation.

Par exemple, une fenêtre d'habitation est caractérisée par ce qu'on défini comme un coefficient K, plus cette valeur de K (nouvelle valeur U) est faible, plus la capacité d'isolation de la fenêtre est élevée

Quelques valeurs de coefficient de conduction thermique

**Gaz (à 20°C) en W / (m.K)**

Air          : 0,025

Oxygène    : 0,024

Azote      : 0,024

Helium       : 0,143

Argon        : 0,0177

**Liquides (à 20°C) en W / (m.K)**

Eau       : 0,6


Ici, il est facile de voir que l'eau conduit la chaleur environ 25 fois mieux que l'air. Cependant, l'argon conduit assez mal la chaleur. Par conséquent, de nombreux professionnels de la plongée utilisent de l'argon au lieu de l'air comme gaz pour la combinaison étanche. Je l'ai aussi essayé et cela fait vraiment une différence, bien qu'un plongeur professionnel de mon cercle d'amis m'ait traité de "mauviette". Mais mieux vaut être une poule mouillée qui ne gèle pas qu'un plongeur robuste gelé ;-)

**Rayonnement**

L'énergie thermique est transportée sous forme de rayonnement.
Si le corps absorbe ce rayonnement, il se réchauffe..

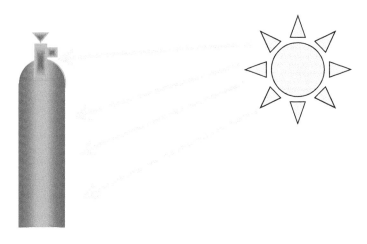

**Conduction**

L'eau conduit la chaleur environ 25 fois mieux que l'air. Le corps
perd seulement 2 à 3 fois plus de chaleur dans l'eau en raison
des propriétés spécifiques de notre corps et de nos vêtements
isolants (combinaison de plongée, chaussettes, gants, capuche).
La conduction thermique signifie **un transfert direct de chaleur**
à travers les particules. Le corps transmet une partie de l'énergie
thermique directement dans l'eau, située entre la peau et le
néoprène (conduction).

## Conduction

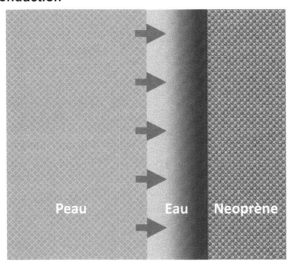

## Convection

La chaleur est évacuée par le flux de gaz ou de liquide. L'eau chauffée s'écoule et est remplacée par de l'eau plus froide (convection).

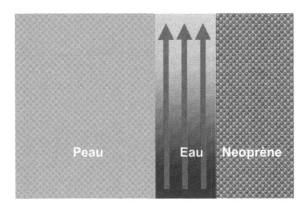

## 10.0 Médecine de la Plongée

La formation et l'examen pour le plongeur 2** IDA nécessitent, pour le plongeur 1* IDA, une formation complémentaire en théorie et en pratique. De même, il est supposé que le cours de spécialisation (SK) RCP ait été effectué, car cela fait également partie de la formation pour le plongeur 1* IDA qui veut devenir plongeur 2** IDA.

Si au fil du temps, vous avez peu à peu oublié ces connaissances acquises, ce qui n'est pas rare, demandez à votre Instructeur s'il peut vous donner un petit rappel. C'est aussi toujours une bonne idée de suivre de temps en temps un cours complet de premiers secours.

## 10.1 Les organes respiratoires

Je ne vous apprends certainement rien de nouveau quand je dis que la respiration est un facteur important, surtout en plongée, qui contribue de manière significative à la réussite d'une plongée.

L'organe le plus important de notre système respiratoire est le poumon. Nos poumons sont constitués de deux poumons situés dans la cavité thoracique. Les poumons sont un organe passif, car ils n'ont pas de muscles en eux-mêmes, mais sont passivement mis en mouvement par les muscles des côtes et le diaphragme. Les poumons sont recouverts d'une peau, dite la plèvre viscérale. Sur la paroi 'intérieur de la cage thoracique se trouve la plèvre dite pariétale, cette plèvre enveloppe complètement les poumons, comme un film protecteur. Entre ces deux peaux se trouve ce qu'on appelle l'espace pleural, qui est rempli d'un liquide qui empêche les deux peaux de se frotter l'une contre l'autre. Il y a une légère pression négative dans l'espace pleural, de sorte que les deux peaux sont retenues de manière flexible l'une à l'autre, mais sans se toucher directement. Lorsque nous inspirons, nous élevons la plèvre pariétale au moyen des muscles des côtes et du diaphragme, et en raison de la pression négative, la plèvre viscérale monte également, elle est pratiquement tirée. Les poumons reposent contre l'intérieur de la plèvre viscérale et sont donc passivement soulevés et remplis d'air respirable.

Si le poumon ou la plèvre sont endommagés par des lésions mécaniques, l'air peut pénétrer dans l'espace pleural et le poumon qui y est associé s'effondre, et ne peut plus fournir au corps l'oxygène nécessaire. Les experts appellent un tel accident un pneumothorax. Dans ce cas, une aide médicale immédiate est nécessaire

**Le Volumes des poumons**

Les poumons sont des organes individuels et grandissent pratiquement en fonction de l'exercice qu'on leur donne. Le Dr. E. von Hirschhausen affirme la même chose au sujet du foie, et il a certainement raison à ce sujet. Lorsque nous parlons de volume pulmonaire, nous entendons la quantité maximum d'air (en litres) qui peut entrer dans les poumons. Donc, si vous inspirez au maximum pour qu'il ne soit plus possible de faire encore entrer de l'air dans vos poumons, puis expirez au maximum jusqu'à ce que vous pensiez imploser, cette quantité d'air expiré comprend à ce qu'on appelle votre capacité vitale. Cette capacité vitale dépend de plusieurs facteurs. Les hommes ont généralement une capacité vitale d'environ 4,0 litres, les femmes d'environ 3,0 litres. Cependant, ces valeurs ne disent rien sur la performance humaine. Étant donné que chaque corps possède les poumons dont il a besoin, vous pouvez obtenir d'excellents résultats même avec un volume pulmonaire plus petit, c'est-à-dire une capacité vitale plus faible. Cependant, vous pouvez également endommager vos poumons en fumant ou en vous allongeant sur le canapé au lieu de faire du sport ou de marcher. Un poumon qui n'est pas stressé de temps en temps perdra tôt ou tard son élasticité et donc son volume. Un cycliste entraîné peut avoir une capacité vitale de plus de 6 litres à l'état entraîné, 8 litres ont également été mentionnés dans la littérature. Mais vous n'avez pas besoin de 8 litres pour plonger. S'il en était ainsi, il n'y aurait que quelques rares plongeurs sélectionnés.

Nous connaissons maintenant la capacité vitale. Vient ensuite la capacité totale. Il est composé de la capacité vitale et de la capacité restante, ou encore appelé volume résiduel. Le volume résiduel chez l'adulte est d'environ 1,5 litre. Le volume résiduel est la quantité d'air qui se trouve dans les voies respiratoires incompressibles. Donc dans le nez, le nasopharynx, la trachée et les bronches. Nous aurions donc 1,5 litre de volume résiduel plus 4,0 litres de capacité vitale, soit 5,5 litres de capacité totale pour l'homme décrit ci-dessus.

Maintenant, vous objecterez probablement que vous n'inspirez pas et n'expirez pas 4 litres à chaque respiration, mais seulement beaucoup moins d'air. Et vous avez raison. La quantité d'air que vous ventilez en inspirant et expirant en faisant du vélo ou quand vous regardez le football, diffère bien sûr,. Ce qu'on appelle le volume courant est la quantité d'air (en litres) que vous inspirez en une seule inspiration. Et bien sûr, ce volume dépend beaucoup de ce que vous faites. S'allonger sur le canapé et regarder Netflix nécessite un volume courant d'environ 0,5 à 0,6 litre. Regarder le football si votre club perd ou si l'arbitre prend une mauvaise décision peut provoquer un souffle de 2,0 litres. Et si vous faites du sport vous-même et que vous vous repoussez à la limite, un volume respiré de 4,0 litres est tout à fait possible. Le volume courant dépend donc fortement de l'activité en cours. Pendant la plongée détendue en snorkeling, nous inspirons environ 0,5 à 0,7 litre par respiration.

Nous avons déjà maintenant expliqué les volumes pulmonaires les plus importantes:
Capacité vitale, capacité totale et volume courant.

Maintenant, il y a encore deux termes techniques de plus et nous aurons ainsi terminé avec la fonction pulmonaire. Si vous respirez calmement pendant que vous êtes allongé sur le canapé, vous déplacez ainsi environ 0,5 litre d'air par respiration, vous êtes dans ce qu'on appelle un rythme respiratoire au repos. C'est un cycle intermédiaire parce que vous pourriez inhaler beaucoup plus et expirer beaucoup plus si vous le vouliez. Ce que vous pourriez inspirer encore plus s'appelle le volume de la réserve inspiratoire et ce que vous pourriez encore expirer en plus est appelé le volume de la réserve expiratoire.

Voici une illustration graphique pour (espérons-le) une meilleure compréhension. Vous devez vous représenter le bloc coloré à droite comme étant vos poumons.

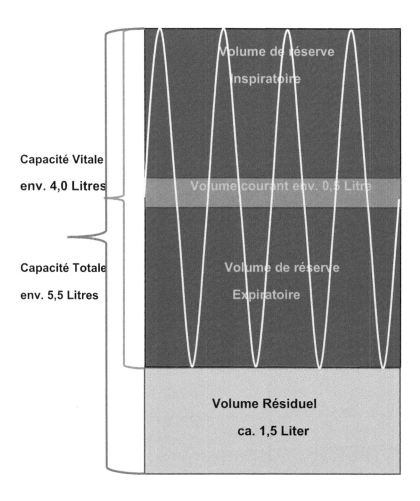

La respiration est quelque chose de naturel que notre corps effectue automatiquement et dont nous n'avons généralement pas à nous soucier. S'il n'en était pas ainsi, nous pourrions mourir peu de temps après l'endormissement et ne nous réveillerions pas Ainsi presque la durée de vie d'un éphémère; cependant, même les éphémères vivent (vivraient) plus longtemps. Et on constate que ce n'est heureusement pas le cas, quand, tous les matins, on se regarde plus ou moins joyeusement dans le miroir. Notre corps se régule lui-même et ainsi à n'importe quelle profondeur lorsqu'il inspire ou expire. Pour cela, il serait logique qu'il utilise la teneur en oxygène dans le sang comme variable de contrôle, car c'est l'oxygène qui nous maintient en vie. Mais malheureusement, l'évolution en a décidé autrement et a préféré s'adapter à la quantité de dioxyde de carbone, c'est-à-dire au niveau d'acide carbonique (teneur en acide carbonique) dans le sang. Pour réguler cela, nous, les humains, avons un centre respiratoire dans le tronc cérébral, qui surveille en permanence le niveau d'acide carbonique dans le sang et stimule l'expiration lorsque le niveau d'acide dans le sang est élevé. Cela réduit le niveau de dioxyde de carbone dans le sang et, en conséquence, nous absorbons une nouvelle quantité d'oxygène par l'inhalation suivante. Selon la quantité de dioxyde de carbone dans le sang, nous inspirons et expirons plus ou moins profondément en va et vient. La fréquence respiratoire est donc ainsi modifiée.

Malheureusement, cela signifie également que notre centre respiratoire ne prête pas beaucoup d'attention à la teneur en oxygène de notre sang.

Cela peut provoquer des évanouissements en raison d'une hyperventilation excessive. Voir aussi le « Livre du plongeur 1* de IDA » page 93.

Voici, pour rappel, un extrait du livre mentionné :

Une ventilation des poumons, réalisée en fonction des d'un certain but, c'est-à-dire effectuer des inspirations et des expirations profondes, est appelée hyperventilation. En médecine, le grec ou le latin a prévalu et nous allons donc les évoquer ici encore plus souvent avec de tels noms. Nous avons tous été autrefois au bord d'une piscine et dans le but de faire une longueur de piscine de 25 mètres en apnée, c'est-à-dire sans l'aide d'un appareil de plongée à air comprimé. Nous avons donc essayé d'emmagasiner le plus d'oxygène possible pour atteindre notre objectif. Si nous avions su quel risque nous prenions, nous l'aurions probablement fait de toute façon.  En tant que jeune alors, on pensait être pratiquement indestructible. En outre, la réussite a montré que c'était justifié, car nous avons pu faire cette apnée après un tel excès de ventilation, mais aussi souvent sans cela.  Cependant, notre sang est presque toujours saturé d'oxygène à 95 ou 100%. Autrement dit, peu importe la cadence à laquelle nous inspirons et expirons avant notre plongée, la teneur en oxygène du sang n'augmente pas ou très peu. Cela nous amène au plus à gagner un mètre ou deux. Beaucoup plus grave, et donc beaucoup plus dangereux, est que nous exhalons plus de dioxyde de carbone lors de notre multi-respiration inutile et que nous réduisons ainsi le niveau d'acide carbonique dans notre sang. Cet acide carbonique provoquera le stimulus respiratoire beaucoup plus tard, parce que nous savons que c'est le dioxyde de carbone qui commande notre respiration, ainsi il peut nous arriver une syncope sous l'eau, puisque nous consommons toujours autant d'oxygène de notre sang. Donc, l'oxygène est utilisé normalement, mais le stimulus respiratoire vient tardivement, et peut-être trop tard, car notre hyperventilation a considérablement réduit la teneur en acide carbonique de notre sang. Lorsque l'oxygène est épuisé, notre corps active le système d'urgence qui arrête toutes les fonctions dont il n'a pas nécessairement besoin pour survivre, donc, la conscience, le mouvement, la vision, l'audition, etc. Cela crée une inconscience qui, si nous n'étions pas sous l'eau, nous ferait simplement tomber dans une position horizontale, et nous attendrions simplement d'obtenir de l'aide.

Conclusion: deux ou trois respiration profonde avant et après l'apnée est inoffensif, mais chaque respiration forcée supplémentaire augmente le risque de s'évanouir sous l'eau.

Constatons maintenant que les poumons les meilleurs et les plus grands ne nous sont d'aucune utilité si le sang ne les traverse pas pour absorber l'oxygène et libérer le dioxyde de carbone. C'est notre cœur qui assume cette tâche, à savoir le transport du sang à travers le corps.

## 10.2 Le Coeur

Notre cœur est ce qu'on appelle un muscle creux. En fin de compte, cela ne signifie rien de plus que c'est un muscle dans lequel, dans notre cas, il y a 4 cavités creuses qui sont les cavités cardiaques. Ces cavités cardiaques sont comprimées ou étirées en contractant le muscle de façon rythmique. Cela se traduit par une fonction de pompage qui déplace le sang à travers notre corps. Nos cœurs battent généralement 60 à 90 fois par minute, mais peuvent battre beaucoup plus vite lorsque nous sommes «en charge». Les personnes très bien entraînées ont une fréquence cardiaque inférieure à 50 battements par minute. Le côté gauche du cœur pompe le sang riche en oxygène dans le corps et en même temps la moitié droite du cœur «aspire» le sang pauvre en oxygène du corps et le pompe à travers les poumons. Le sang dans les poumons est ensuite enrichi en oxygène et débarrassé du dioxyde de carbone. Le sang riche en oxygène est ensuite renvoyé dans la moitié gauche du cœur, qui le pompe ensuite dans le corps. Comme cela se déroule toujours en boucle, pour ainsi dire, ce processus est également appelé un cycle. La grande circulation, dite circulation corporelle, conduit le sang à travers tout le corps et la petite circulation, dite circulation pulmonaire, conduit le sang à travers les poumons. En pratique, ces deux cycles sont strictement séparés. Au moins, ça devrait être comme ça.

Nous l'avons tous traversé sans nous en souvenir. Nous nous formons dans un liquide pendant des mois sans pouvoir respirer. Comment ? Mais dans l'utérus ! Nos poumons sont encore en développement à ce moment-là et ne peuvent de toute façon pas contribuer à la respiration. Donc l'évolution a simplement ponté nos poumons parce que nous n'en avions pas besoin, parce que nous étions oxygénés par la circulation de notre mère.

Ce pontage a eu lieu parce que Mère Nature a installé une ouverture avec une fonction de valve entre nos deux oreillettes. Cette ouverture, également appelée foramen ovale ou shunt droite-gauche, s'est ensuite refermée à un moment donné après que nous ayons «éclos» et n'avons plus eu à nous y intéresser. Il y a maintenant des gens chez qui cette ouverture n'est pas toujours ni complètement fermée. On parle d'un "foramen ovale ouvert". Ce foramen ovale ouvert n'a pratiquement aucune signification pour les gens ordinaires et des milliers de personnes avec cette «erreur» parcourent le monde en toute sécurité, et sont en forme et productives. Mais nous, les plongeurs, ne sommes pas des citoyens normaux, nous sommes des plongeurs. Lorsqu'il plonge, un plongeur se sature lui-même et son sang en raison de l'augmentation de la pression partielle de l'azote. En général tout va bien et il n'y a non plus pas mal. Cependant, en tant que plongeur, si j'ai maintenant un foramen ovale ouvert et que j'ai chargé mon sang avec une bonne dose d'azote, le foramen ovale ouvert peut me donner un véritable accident de décompression. Parce que le sang chargé d'azote est normalement pompé de la moitié droite du cœur vers les poumons afin d'être débarrassé de l'azote et du dioxyde de carbone. Cependant, si j'ai maintenant un foramen ovale ouvert et que je respire profondément parce que je suis à bout de souffle à cause d'un effort ou que je tousse dans mon détendeur, la contraction de ma poitrine augmente également la pression dans mon cœur droit. Et ainsi, le sang saturé en azote pénètre partiellement dans la moitié gauche du cœur par le foramen ovale et est à nouveau pompé à travers le corps. En effet, comment le cœur est-il censé savoir qu'il pompe du «sang usé» dans le corps? Étant donné que le sang n'a pas été débarrassé de l'azote dans les poumons, nous avons une teneur en azote accrue dans notre sang, par rapport à la désaturation. Cependant, étant donné que tous les programmes informatiques et les tables de décompression supposent que le plongeur désature correctement, cela peut entraîner un accident de décompression.

169

Bien sûr, vous pouvez en cas de doute vous rendre chez un spécialiste et subir une «échographie cardiaque», Mais il n'y a aucun nécessité impérieuse ni obligation. Restez détendu pendant la plongée, inspirez et expirez calmement, ne vous laissez pas "exciter", et évitez en tous cas la plongée qui nécessite des paliers de décompression. Si de plus vous évitez de plonger lorsque vous toussez, vous êtes du bon côté de la sécurité. Faites régulièrement un bilan de forme physique et restez en forme; alors rien ne peut vous arriver même avec un foramen ovale ouvert.

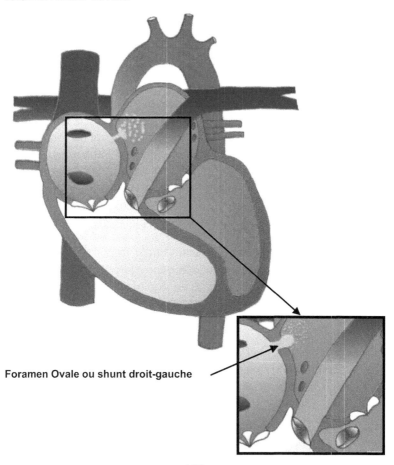

**Foramen Ovale ou shunt droit-gauche**

170

## 10.3 Barotraumatismes et lésions respiratoires

Un barotraumatisme est une blessure à certaines parties du corps causée par la pression. Chez nous plongeurs, ce sont surtout les différences de pression qui peuvent nous causer des dommages.

L'énoncé est le suivant:

**Le barotraumatisme est une lésion typique d'un organe ou d'un tissu des cavités corporelles remplies d'air, à parois rigides ou flexibles en raison d'un manque ou d'une ventilation insuffisante, avec un changement simultané de la pression ambiante et une différence qui en résulte entre la pression interne et externe!**

Conclusion:

**Une lésion par différence de pression.**


### 10.3.1 Barotraumatisme des oreilles

**Déchirure du tympan**

Une déchirure tympanique se produit en raison d'une ventilation insuffisante de l'oreille moyenne, par exemple si l'égalisation de la pression est mauvaise ou pas du tout effectuée. Dans ce cas, la pression à l'extérieur du tympan augmente, tandis que la pression à dans l'oreille moyenne est inférieure à la pression extérieure et le tympan est ainsi stressé en direction de l'oreille moyenne. Si vous avez une tolérance élevée à la douleur, vous pourriez être en mesure de laisser se déchirer les tympans à cause du phénomène décrit ci-dessus. Mais normalement, la douleur est si intense qu'avant cela on effectue correctement l'égalisation de la pression est effectuée ou on arrête de descendre en profondeur. Cependant, le tympan peut se déchirer vers l'extérieur si vous portez des bouchons d'oreille pour protéger votre conduit auditif ou parce que l'eau dans votre oreille est dérangeante. Même dans ce cas, ne plongez jamais avec les bouchons d'oreille et effectuez l'égalisation de pression. Car étant donné que le conduit auditif externe serait scellé hermétiquement par les bouchons, la pression croissante ne peut pas agir sur le tympan de l'extérieur et seule la pression interne que vous avez provoquée par les gestes d'égalisation de pression agit sur le tympan. Cela peut déchirer le tympan vers l'extérieur. Donc, ne plongez jamais avec des bouchons d'oreille ou des bouchons d'oreille de toute sorte. La pression doit toujours pouvoir agir des deux côtés du tympan, sinon il y a des dommages dus aux différences de pression, un barotraumatisme.

Lorsque la pression est égalisée, la pression que vous exercez consciemment à travers la trompe d'Eustache se propage dans l'oreille moyenne et compense ainsi l'augmentation de la pression externe jusqu'à ce que le tympan soit revenu en position médiane (position de repos) et qu'il y ait égalité de pression. Ce processus doit être répété continuellement au cours de la plongée.

## Choc sur le Labyrinthe

Si la membrane tympanique se déchire en raison d'une compensation de pression incorrecte, de l'eau froide peut pénétrer à travers la déchirure dans l'oreille moyenne. Cela refroidit l'oreille interne très sensible à la température, ce qui peut entraîner une perte d'orientation ou même un évanouissement. Donc, ne jamais forcer l'égalisation de pression. De plus, une violente égalisation de pression peut provoquer une expansion ou de légères déchirures dans le tympan, ce qui rend la plongée impossible pendant longtemps. Ces blessures sont souvent le siège d'inflammations. Surtout dans les zones où les soins médicaux peuvent être qualifiés de sous-optimaux, l'humidité de l'air et la pollution bactérienne de l'eau sont très élevées. Cela provoque donc souvent une inflammation du canal auditif externe, également appelée "otite externe". Cette otite est aussi généralement très douloureuse. Il existe de nombreux remèdes maison pour soulager une otite, mais si elle ne disparaît pas d'elle-même dans les deux ou trois jours, vous devriez consulter un spécialiste de l'oreille..

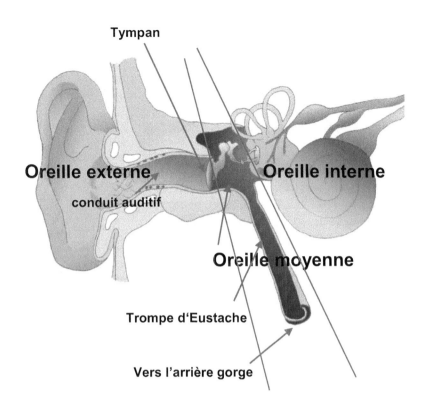

Tympan

Oreille externe

conduit auditif

Oreille interne

Oreille moyenne

Trompe d'Eustache

Vers l'arrière gorge

## 10.3.2 Barotraumatisme des poumons

Nos poumons peuvent être atteints par une lésion due à une surpression ou à une dépression

**Surpression pulmonaire**

Les barotraumatismes de surpression résultent d'une expiration inadéquate lors de la remontée (réduisant ainsi la pression externe) après avoir inhalé de l'air comprimé à partir d'un équipement de plongée. Un tel barotraumatisme peut déjà survenir lors de la remontée depuis une faible profondeur.

Les conséquences du barotraumatisme de surpression sont le pneumothorax (déchirure pulmonaire), le pneumothorax sous tension (déchirure pulmonaire avec blocage de l'air par effet de valve), l'emphysème médiastinal (entrée d'air dans la poitrine (médiastin)) et la déchirure centrale avec les conséquences de l'EAG (embolie artérielle gazeuse).

Le **médiastin**, est un espace tissulaire vertical dans la cavité thoracique. Il se situe dans le plan médian entre les deux cavités pleurales et s'étend du diaphragme au cou et de la colonne vertébrale au sternum (sternum). (Source wikipedia)

L'emphysème médiastinal, ou pneumomédiastin, est une accumulation d'air dans la plèvre moyenne (médiastin) qui est toujours le signe d'une maladie ou d'une blessure. (Source wikipedia)

EAG : Transfert de bulles de gaz dans le sang. En raison d'une déchirure dans les poumons, les bulles de gaz pénètrent dans la circulation sanguine et sont transportées vers le cœur, qui pompe le sang chargé de bulles à travers le corps. Ces bulles peuvent empêcher la vascularisation des organes vitaux, ce qui peut entraîner la mort.

La déchirure pulmonaire, également appelée pneumothorax, est caractérisée par le fait que la plèvre pulmonaire est déchirée et que l'air pénètre dans l'espace pleural. En conséquence, le poumon affecté s'effondre et ne peut plus participer à la respiration. Si dans ce cas, vous pouvez encore espérer une atteinte moins grave, c'est que ce ne soit pas, espérons-le, un pneumothorax de tension. Parce qu'avec un pneumothorax de tension, l'air pénètre dans l'espace pleural, mais en raison de la nature de la déchirure (fonction valvulaire), il ne peut plus être "évacué" par le poumon blessé. Cela produit à une entrée d'air continue dans "l'espace pleural", qui ne peut se vider, et la moitié blessée de la poitrine se dilate et devient de plus en plus dure.

174

Cela rend la respiration de plus en plus difficile et empêche l'absorption d'oxygène Si ce n'est pas traité en urgence, cela va entraîner la mort.

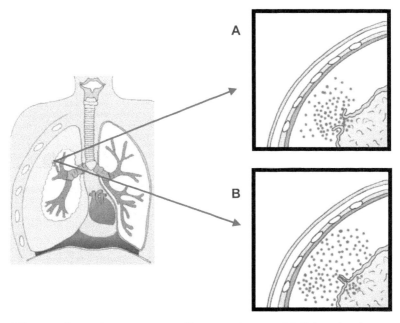

**L'image A** montre un pneumothorax qui permet à l'air qui est entré dans l'espace pleural de s'échapper.

**L'image B** montre un pneumothorax de tension qui emprisonne l'air dans l'espace pleural et ne le laisse plus s'échapper

Quand j'ai appris à plonger il y a 40 ans, mon instructeur était un plongeur de la marine, qui sont connus pour être assez directs tant pour obéir que pour agir. Il faut effectuer une ponction dans la plèvre par l'extérieur. J'ai appris ce traitement à l'époque, mais je n'ai jamais eu à l'utiliser «Dieu merci». Je ne sais pas non plus si j'aurais eu le courage de le faire avant de lire le texte que j'ai trouvé sur wikipedia, Il faut préciser que ce traitement ne peut vraiment être que la toute dernière extrémité qui se situe entre la vie et la mort de la victime. Si nous n'avons pas étudié la médecine, **nous ne sommes pas autorisés à effectuer un tel traitement**. Point !. Mais s'il est clairement prévisible que l'aide médicale ne viendra pas parce que nous sommes en expédition loin de toute aide médicale et qu'il n'y a également aucun moyen d'obtenir un médecin dans un délai raisonnable, je réagirais comme cela: Mon partenaire de plongée se trouve devant moi dans une situation qui m'est claire, à savoir un pneumothorax de tension, A condition qu'aucune personne qualifiée ne puisse intervenir je suis celui qui est entre la mort de mon partenaire et sa vie,. Cependant, la détermination d'un pneumothorax de tension est difficile pour un profane.

Symptômes selon wikipedia:

Le patient souffre d'essoufflement (dyspnée) et développe une cyanose croissante (décoloration violette à bleuâtre de la peau). En déplaçant le cœur et les vaisseaux veineux, les veines du cou apparaîtront comme signe visible. En raison de la réduction du reflux sanguin, la pression artérielle systolique chute également (hypotension artérielle) et une tachycardie compensatoire (rythme cardiaque rapide : note de l'auteur) se produit.

Dans un tel cas, la poitrine est gonflée et dure, en tapant sur la poitrine, il y a un bruit comme si on tapote sur une balle gonflée. En raison du manque d'oxygène, la victime a déjà des lèvres bleues (cyanose / manque d'oxygène ou apport insuffisant d'oxygène aux tissus corporels) et peut respirer et parler qu'avec de grands efforts.

Mais, si en l'examinant très attentivement, je suis sûr que la victime, non traitée, avec une probabilité proche de la certitude ne vivra pas longtemps de toute façon, je ne peux pas me tromper de beaucoup. Cela semble très dur, mais c'est ainsi. Il est également important de ne pas oublier de faire la ponction toujours **au-dessus** de la côte, car des vaisseaux et des nerfs importants passent sous les côtes, et ne doivent pas être endommagés.

Mais gardez à l'esprit que vous devrez peut-être rendre compte de votre décision plus tard devant un juge qui peut vous emprisonner pour homicide involontaire, mais peut également vous punir pour avoir omis de porter de l'aide, ce qui est peu probable. Le traitement d'un pneumothorax de tension par un profane est la toute dernière solution au problème. Il faut toujours et avec tous les moyens nécessaires, appeler un médecin ou un ambulancier et de lui laisser pratiquer un traitement, Et seulement si cela est complètement impossible et que la victime est déjà mourante, j'essaierais de lui sauver la vie. Sinon, ce serait, à mon avis du moins, une absence d'assistance. Mais à la fin, vous devrez décider par vous-même car vous devrez vivre avec les conséquences.

En tant que situation d'urgence (un pneumothorax de tension peut entraîner la mort en quelques minutes dans des circonstances défavorables où des instruments mieux adaptés ne sont pas toujours à portée de main), seule l'ouverture de la cavité pleurale peut solutionner le problème, par exemple en insérant plusieurs canules de grand volume ou en perçant la paroi thoracique avec un simple couteau en gardant cette plaie ouverte, pour rétablir un équilibre de pression entre la cavité pleurale et la pression de l'air ambiant. Ainsi, le pneumothorax de tension est initialement converti en un pneumothorax simple, qui n'est généralement pas très dangereux pour la vie.

Source wikipedia

Et, après avoir décidé d'agir, je dois bien sûr couvrir la plaie et la garder aussi stérile que possible pour éviter l'infection

**Barotraumatisme pulmonaire par dépression**

Le barotraumatisme pulmonaire par pression négative, également appelé bleu interne, survient lors de la plongée en apnée si la limite individuelle de plongée libre est dépassée. La limite individuelle de plongée libre dépend du volume pulmonaire du plongeur, plus précisément du rapport de la capacité totale au volume résiduel, et est donc différente d'une personne à l'autre. Cependant, le barotraumatisme sous vide pulmonaire se produit très rarement, d'autant plus que la plupart des plongeurs récréatifs sont incapables de dépasser leur limite individuelle de plongée libre, et encore moins de l'atteindre, en raison de leur niveau d'entraînement. Excusez-moi si vous vous sentez offensé mais très peu de plongeurs récréatifs sont capables d'atteindre des profondeurs de plus de 25 mètres qui devraient être atteintes en apnée. Bien sûr, cela peut être amélioré par une formation intensive, mais heureusement, la majorité des plongeurs amateurs ne s'y intéressent pas. Les apnéistes professionnels, qui s'entraînent extrêmement pendant des années, peuvent maintenant aller à des profondeurs de plus de 100 mètres sans être endommagés, du moins sans remarquer aucun dommage. L'Autrichien Herbert Nitsch a atteint une profondeur de 214 mètres en apnée avec un poids variable en 2017. Le plongeur est tiré vers le bas par un poids et remonté à la surface par un ballon. En karaté, nous appelions de telles expériences «test de rupture». À cette époque, nous avons également essayé de voir ce qui se casse en premier, la planche ou la main. Je n'ai pas le droit de critiquer ces gens, mais je voudrais dire que ce que font ces sportifs extrêmes ne peut pas être sain. Vous pouvez trouver le mot-clé "Bloodshift" sur Internet. Chez nous les plongeurs normaux, l'utilisation d'un tuba trop long pourrait conduire à un barotraumatisme sous dépression pulmonaire.

La pression ambiante sous l'eau est supérieure à la pression de l'air à la surface de l'eau. L'intérieur de nos poumons est ainsi relié à la pression de l'air à la surface de l'eau à travers le tube à

178

paroi rigide du tuba. Ainsi, la pression sur notre cage thoracique est supérieure à la pression dans nos poumons. Cette différence de pression doit être compensée par un travail respiratoire, c'est-à-dire par les muscles du diaphragme et les muscles des côtes. Dans le même temps, cependant, le sang est déplacé du système circulatoire vers les tissus pulmonaires en raison de la pression négative afin de compenser la perte de volume due à la pression négative qui s'y est développée. Cela peut entraîner des conséquences problématiques telles qu'un rythme cardiaque rapide ou une réduction de l'apport sanguin au cerveau avec perte de conscience ultérieure..

**Particularité lors de la plongée en apnée par rapport à la plongée avec un plongeur à air comprimé!**

Lors de la plongée en apnée, c'est-à-dire avec votre seule respiration et sans équipement de plongée à air comprimé, les poumons sont comprimés en descendant.

**Taille du poumon à la surface de l'eau**

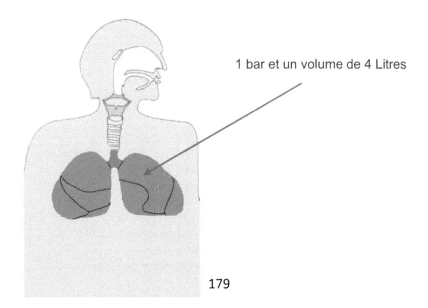

1 bar et un volume de 4 Litres

179

Le volume pulmonaire varie, bien sûr, pour chaque individu, mais je suppose ici 4 litres de capacité vitale.

Maintenant, le plongeur, en apnée, est descendu à 10 mètres et, selon Boyle et Mariotte, les poumons sont réduit à la moitié du volume en surface, et la pression à l'intérieur des poumons est ainsi passée à 2 bars.

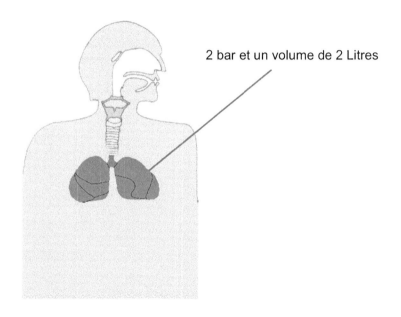

2 bar et un volume de 2 Litres

Tant qu'il y a encore à l'intérieur des poumons de l'air qui peut être comprimé en descendant plus bas, il n'y a aucun dommage aux poumons. Cependant, si tout le volume intérieur des poumons est comprimé à un point tel que tout l'air n'est plus que dans le volume résiduel (bronches, trachée et nasopharynx) et que nous continuons à descendre, les poumons seront endommagés. Du moins pour nous des plongeurs normaux et non formés à l'apnée extrême. Les professionnels de l'apnée, voir Herbert Nitsch et quelques autres qui ont pratiqué de telles profondeurs pendant des années, compensent cette pression négative. Au moyen du "Bloodshift"

En tant que plongeurs récréatifs, sans cette formation de longue durée, nous devons nous abstenir de telles expériences, pour le bien de notre santé et de notre vie. De plus, nous nous souvenons peut-être du livre 1 IDA Bases-Théorie pour les plongeurs (page 94-95), **la syncope en eau peu profonde** peut rendre encore plus difficile, voire impossible, notre remontée en surface.

**Extrait de texte pour rappel :**

Pour les uns c'est la distance, pour les autres c'est la profondeur. Les apnéistes du monde entier tentent toujours de se surpasser notamment pour la profondeur atteinte. Le record du monde est actuellement à plus de 200 mètres. Qu'ils puissent se mettre en danger et faire du mal à leur corps est probablement un aspect qui les rend si spéciaux

Le fait est qu'il a déjà eu plusieurs victimes d'accidents graves en apnée. Un plongeur en apnée, qui voulait dépasser son record de 214 mètres, a eu un très grave accident. Nous sommes certes loin d'avoir atteint de telles profondeurs, mais **un plongeur bien formé** peut atteindre une profondeur de 20 à 30 mètres. Nous sommes donc dans notre bateau et jetons l'ancre. Entre nous et le fond de la mer, il y a 25 mètres d'eau. Au fond de la mer, il y a un lest en plomb, que nous avons perdu car après notre plongée, nous avons débouclé notre ceinture et un plomb a pu prendre le chemin des profondeurs. , Mon conseil : laissez-le au fond, le prochain plongeur en sera ravi. Mais puisque vous ne voulez pas m'écouter, hyperventilez vous tel que prescrit deux ou trois fois et plongez dans les profondeurs. Le volume de votre combinaison de plongée diminue, votre ceinture de lest vous tire légèrement) vers le fond pour le moment, de sorte que la descente est comme un jeu d'enfant. Et, vous y croyez à peine, vous atteignez le plomb, vous le saisissez et vous remontez vers le bateau. Ce qui ressemble à une réussite peut maintenant devenir un drame. Bien sûr, lors de votre plongée, vous avez également utilisé l'oxygène de vos poumons.que vous aviez pris en surface. À une profondeur de 25 mètres, nous avons une pression ambiante de 3,5 bars, sous laquelle se trouvait aussi l'oxygène. À la surface, nous avons une pression ambiante d'un bar, ce qui est considérablement moins. Pendant la remontée, non seulement la pression ambiante, mais aussi la pression partielle d'oxygène diminuent, ce qui va à un certain point amener le cerveau à activer le programme d'urgence et ce qui se passe ensuite, je l'ai déjà expliqué dans le "Blackout en piscine". Seulement dans ce cas, il y a 25 mètres d'eau en dessous de vous, et dans ce cas une opération de sauvetage devient très difficile, voire impossible. Surtout si, vous les plongeurs, n'avez pas respecté la réserve de 50 bars lors de votre plongée précédente et donc qu'aucun de vos compagnons de plongée n'a plus à présent suffisamment de pression dans son bloc pour venir vous sauver.

Ce type d'évanouissement est appelé **«évanouissement en eau peu profonde» ou «syncope en remontée»,** car il survient principalement sur les 10 derniers mètres jusqu'à la surface. Conseil: veillez toujours à conserver une réserve de 50 bars et à ne plonger en apnée qu'à une  profondeur à laquelle vous avez été entraîné. Dans ce cas particulier, une corde de sécurité aurait pu être utilisée. Grace à elle, vos compagnons auraient pu vous hisser à bord. Sans compter qu'aucun plomb de lestage ne vaut une vie.

**Fin de l'extrait**


Sur la base de l'expérience que j'ai expliquée il y a quelque temps lors des leçons théorique, je voudrais brièvement souligner que le volume pulmonaire lors de la plongée pour un plongeur avec air comprimé et utilisant un détendeur, reste relativement constant tout au long de la plongée et quelle que soit la profondeur. Un barotraumatisme pulmonaire négatif ne peut pas se produire. Voir également les illustrations de la page suivante. La pression pulmonaire interne augmente, mais le volume reste constant. C'est comme ça que ça devrait être, sinon on ne pourrait pas respirer

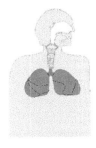

Surface  1 bar Volume 4 Litres

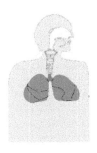

Profondeur 10 Mètres 2 bar Volume 4 Litres

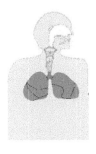

Profondeur 20 Mètres 3 bar Volume 4 Litres

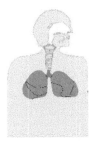

Profondeur 30 Mètres 4 bar Volume 4 Litres

### 10.3.3 Le Spasme de la Glotte (spasme du larynx)

Vous avez sûrement une fois ou l'autre "avalé de travers" en buvant ou en mangeant! C'est à dire, "mettre de la nourriture dans le mauvaise conduit". La glotte est située au-dessus de la trachée afin que nous puissions l'utiliser pour produire des sons que nous appelons également la voix, lorsque nous expirons. Il n'y a pas seulement des muscles autour de cette glotte, mais aussi des récepteurs conçus pour empêcher la nourriture ou les liquides de pénétrer dans les poumons. Si quelque chose qui ne devrait pas aller dans les poumons se déplace vers la trachée, ces récepteurs le remarquent et ferment la trachée comme par un spasme. En règle générale, nous toussons de tout notre coeur pendant un certain temps, et pouvons ensuite continuer à respirer normalement. Cependant, il peut également arriver que le spasme, qui est alors appelée laryngospasme, ne se relâche pas et ferme la trachée pendant un certain temps. Et, comme vous l'avez deviné, ce n'est certainement pas une bonne chose. Cela signifie que nous ne pouvons plus respirer, ni inspirer ni expirer. Si nous sommes maintenant sur le canapé ou ailleurs sur la terre ferme, nous nous évanouissons après un certain temps, en raison du manque d'oxygène et, selon l'endroit où nous nous tenons ou nous couchons, nous tombons sur le sol ou nous nous couchons simplement. De toute façon, ce n'est pas une situation agréable. Mais comme l'évanouissement nous soulage du stress de l'étouffement, cet évanouissement lui-même relâche le spasme de la glotte et le corps recommence à respirer. Parce que lorsque nous nous évanouissons, tous les muscles du corps sont détendus et seules les fonctions vitales continuent à fonctionner normalement. Ne pensez pas à ce qui pourrait arriver si vos muscles se détendaient. Il est seulement important que vous vous réveilliez après vous être évanoui et que vous puissiez continuer à manger ou à boire. Et cette fois, plus attentivement espérons le !.

Malheureusement, il peut arriver à nous, plongeurs, que nous subissions un spasme de la glotte sous l'eau, et ce n'est pas souhaitable car nous pouvons nous évanouir, ce qui n'est certainement pas recommandé sous l'eau.

Mais rassurez-vous. Après plus de 40 ans de pratique de la plongée, je n'ai jamais rencontré un tel cas et j'ai dû tousser terriblement plusieurs fois sous l'eau, mais je ne me suis pas évanoui et je ne me suis pas noyé.

Puisque nous ne plongeons jamais seuls, cela peut ne pas être grave si nous nous évanouissons, car notre partenaire peut nous saisir, et la tête bien droite pour que l'air en expansion puisse s'évacuer, nous amène à la surface de l'eau. Là encore, nous constatons qu'un bon partenaire de plongée est la meilleure assurance vie. Pourvu qu'il soit en fait un bon partenaire de plongée et qu'il ait toujours un œil sur nous, comme nous l'avons sur lui

## 10.4 Empoisonnement aux gaz respiratoires

L'air que nous respirons est un mélange de différents gaz. Nous, plongeurs «normaux», plongeons avec de l'air respirable normal, tel que nous le trouvons à la surface de l'eau. Cet air est aspiré via un compresseur, nettoyé, séché et introduit dans la bouteille d'air comprimé à une pression fortement augmentée (200 ou 300 bars). Nous prélevons ensuite cet air de la bouteille via nos détendeurs et l'utilisons dans presque toutes les profondeurs. Pourquoi seulement dans presque toutes les profondeurs?

### 10.4.1 Limite de profondeur Air  - Azote -

Notre air respirable est composé de divers gaz, dont certains modifient leurs propriétés et leurs effets sur le corps humain lorsqu'ils sont soumis à une pression accrue. L'azote devient narcotique avec l'augmentation de la pression du gaz (pression partielle) et l'oxygène peut même devenir toxique. Les médecins plongeurs ont actuellement déterminé à partir de quelle pression partielle et donc à quelle profondeur ces gaz deviennent si nocifs que nous ne devrions plus être soumis à cette pression.

Àvec environ 78%, l'azote est le gaz le plus présent dans l'air que nous respirons. À partir d'environ 3,16 bar de pression partielle, un effet narcotique peut apparaître. Cette pression est atteinte à une profondeur  de 30 mètres (4 bar). La pression partielle maximale recommandée pour l'azote est de 4,0 bar, ce qui correspond à une pression ambiante de 5,13 bar, soit environ 40 mètres de profondeur

Cet effet narcotique est défini par ce qu'on appelle **l'ivresse des profondeurs:**

L'azote est le gaz dont nous pourrions nous passer le mieux mias qui rend la vie de plongeur la plus difficile: Puisqu'environ 78% de ce gaz est présent dans notre air respirable, il a naturellement le plus grand potentiel de nous poser problème en plongée. A partir d'une certaine pression ambiante, que nous subissons à une profondeur de 30 à 40 mètres, ce gaz a sur nous un effet narcotique. Cet effet est appelé, chez les plongeurs, narcose à l'azote ou ivresse des profondeurs. L'apparition de cette ivresse des profondeurs est très individuelle et dépend également de la forme quotidienne. Si vous êtes fatigué, stressé ou inexpérimenté, l'ivresse des profondeurs peut survenir à partir d'une profondeur de 20 mètres, les limites sont floues. D'un autre côté, il y a des plongeurs professionnels qui descendent avec de l'air comprimé bien au-delà des 40 mètres, qui sont considérés comme une limite pour nous les plongeurs loisirs, et qui ne sont pas sujet à cette narcose à l'azote. L'ivresse des profondeurs est similaire à une intoxication alcoolique, mais qui peut accepter d'être ivre dans 40 mètres d'eau et être presque hors de contrôle? Ce qui est relativement bénin dans un pub, peut entraîner des accidents sous l'eau. Vous pouvez identifier l'ivresse des profondeurs par les symptômes suivants:

**Goût métallique dans l'air respiré (parfois, pas toujours)**

**Vision tunnel (comme si on regardait par un tube, champs visuel réduit)**

Si vous ignorez ces symptômes, l'effet narcotique augmente avec la profondeur de l'eau et les effets suivants se produisent sur votre corps

**Intoxication avec diminution des performances mentales et physiques**

**Diminution de la faculté de raisonnement**

**Les tâches ne sont pas effectuées correctement (par exemple, orientation sous-marine)**

**Perturbation de la précision des gestes**

**Hallucinations**

Cette liste pourrait certainement s'allonger, mais les symptômes ci-dessus devraient déjà vous faire comprendre qu'une ivresse des profondeurs peut être dangereuse pour vous et votre partenaire de plongée. Alors ne vous laissez pas aller aussi loin et arrêtez la plongée si vous sentez que votre forme n'est pas optimale. Pour déterminer une ivresse des profondeurs chez le partenaire, vous pouvez convenir des signes spéciaux de la main avant la plongée, ce qui nécessite un peu de réflexion; cette procédure est connue dans le domaine de la plongée technique. Par exemple, vous pouvez avant la plongée demander à votre partenaire de répondre à chaque signe OK par un triple signe OK, ou de convenir de «tâches» similaires. Ainsi, vous pouvez voir relativement bien si le partenaire est toujours capable de penser normalement. Il n'y a pas de limites à votre imagination

### 10.4.2 Limite de profondeur Air Nitrox - Oxygène-

Le Nitrox existe depuis de nombreuses années. Nitrox est un mot créé à partir d'azote (**Nitr**ogen) et d'**Ox**ygène. Donc, lorsque nous parlons de Nitrox 35, cela signifie qu'il y a 35% d'oxygène et 65% d'azote dans notre mélange. Les gaz résiduels sont négligeables

D'une part, c'est une bonne chose, mais d'autre part, ce n'est pas entièrement «sans». C'est formidable, bien sûr, que la teneur en azote soit plus faible, 65% au lieu de 78%. Nous évitons donc un effet narcotique et pourrions théoriquement plonger un peu plus profondément avant que nous soyons victime de l'ivresse des profondeur. Il est également bon que nous plongions avec une pression partielle d'oxygène accrue, que beaucoup trouvent "rafraîchissante" et se sentent moins épuisés après une plongée avec du Nitrox qu'après une plongée à l'air comprimé. Bien que notre air comprimé puisse également être appelé Nitrox 21. Mais l'oxygène présente également un inconvénient, et à mesure que la proportion d'oxygène dans le mélange gazeux augmente, la profondeur que nous pouvons atteindre avec ce mélange diminue. Ce n'est pas nécessairement un inconvénient, car les animaux et les plantes les plus intéressants sont de toute façon à une profondeur plus faible. Mais il faut noter que, selon la sagesse actuelle, l'oxygène respiré ne devrait pas dépasser une pression partielle de 1,4 bar.

Avec le Nitrox 35, la pression d'oxygène à la surface est déjà de 0,35 bar, ce qui est 0,14 bar plus élevé que dans l'air normal. Puisque nous sommes maintenant autorisés à avoir une pression partielle maximale d'oxygène de 1,4 bar, cela signifie

1,4 bar divisé par 0,35 bar équivaut à 4 bar

4 bar signifie une profondeur de 30 mètres.

Cela signifie que nous pouvons plonger à une profondeur maximale de 30 mètres avec Nitrox 35. Ce n'est pas une catastrophe, du moins pas pour la plupart des plongeurs, mais il faut y penser.
Maintenant, que se passe-t-il si nous dépassons cette limite de profondeur?
Si nous dépassons cette limite de profondeur, une **hyperoxie** se produit. Hyper signifie trop et Oxy signifie oxygène. Cela signifie simplement trop d'oxygène. Dans ce cas, trop de pression partielle d'oxygène. Comme déjà mentionné, nous devons éviter une pression partielle d'oxygène supérieure à 1,4 bar. Mais, comme c'est parfois le cas, le risque nous excite et nous oublions où sont nos limites. C'est tout à fait humain… et donc souvent stupide !.

Dès 1878, Paul Bert a découvert que l'oxygène, respiré sous une pression accrue, est toxique pour l'organisme. L'oxygène, qui est alors agressif, attaque aussi les alvéoles et endommage leurs membranes. Ces alvéoles, sont le lieu d'échange entre l'air que nous respirons et la circulation sanguine. En l'honneur de M. Bert, On appelle cet effet **l'effet Paul Bert.**

Que nous arrive-t-il exactement si nous respirons de l'oxygène avec une pression partielle de plus de 1,4 bar?

Deux choses arrivent à notre corps en même temps:

**Symptôme N°. 1**

**Atteinte au Système Nerveux Central (SNC) Effet Paul Bert**

**Mot clé : CENTAVIVO**

Non, ce n'est pas un surnom pour les effets, mais une abréviation que les assistants Instructeurs de plongée apprécient particulièrement lorsqu'ils passent leur examen d'instructeur de plongée, car cela les aide à se souvenir les effets de l'augmentation de la pression partielle d'oxygène sur le système nerveux central ou SNC

**Effets neurotoxiques de l'hyperoxie**

**C** onvulsion
**E** uphorie
**N** ausées, malaises
**T** remblements, crampes
**A** nxiété
**V** ertiges
**I** rritabilité
**V** ision „tunnel"
**O** reilles: troubles auditifs, tintements

Si nous le constatons sur nous-mêmes, il faut immédiatement remonter de plusieurs mètres. Il est préférable alors de sortir de l'eau, après avoir effectué les paliers de sécurité. **Conclusion**: Assurez-vous impérativement, surtout lorsque vous utilisez du

Nitrox, que vous ne dépassez jamais la pression partielle d'oxygène de 1,4 bar.

La limite générale de tolérance à l'oxygène chez l'homme est une pression partielle d'oxygène de 1,82 bar et un temps d'exposition d'une minute. Ceci est moins important pour nous les plongeurs amateurs, mais le collègue qui gère la chambre de recompression, si nous avons mal calculé nos paliers, doit le savoir (les traitements dans la chambre de recompression commencent généralement avec 100% d'oxygène à 18 mètres de profondeur d'eau simulée).. Le patient est allongé et reçoit de l'oxygène pur pendant 20 minutes, puis il y a une pause de 5 minutes à l'air. Le problème d'une crise d'hyperoxie est acceptable dans ce cas, parce que le patient a généralement de plus gros problèmes qu'une crise hyperoxique dans un environnement contrôlé. (Remarque du gestionnaire de la chambre de recompression)

**Symptôme N°. 2**

**Effet sur les poumons appelé aussi effet Lorraine-Smith.**

L'oxygène est un gaz très réactif et a la propriété d'endommager les alvéoles sous une pression d'oxygène accrue et un long temps d'exposition. Les symptômes de cette attaque par l'oxygène sont:

- dommages au tissu pulmonaire (alvéoles)

- irritation de la muqueuse du pharynx

- Yeux brûlants et piquants

- toux insatiable

- Peut-être inconscience

- Hypoxie (manque d'oxygène) due à des dommages aux alvéoles

Dans le pire des cas, l'augmentation de la pression partielle d'oxygène peut provoquer la destructiont des alvéoles. Cela réduit la surface des poumons, qui est essentielle pour l'échange de gaz, ce qui se traduit par une absorption d'oxygène et une évacuation du dioxyde de carbone réduites. Si cette "absorption" d'oxygène est à ce point insuffisante, l'efficacité de la surface des poumons peut être tellement réduite que la personne suffoque.

## 10.5 Essoufflement

Cela nous est déjà arrivé à tous: suite à beaucoup d'efforts, nous avons manqué d'air. Cela peut se produire à de nombreuses reprises et dépend en grande partie de l'état de la formation individuelle. Que ce soit le jogging, le football ou le tennis, selon l'intensité de l'effort, il peut arriver que l'air que nous respirons ne puisse pas être apporté assez rapidement et nous devons réduire le rythme. Nous sommes alors essoufflés ou à court de souffle. Bien sûr, cela peut également se produire lors de la plongée, car elle n'est pas appelée «plongée sportive» pour rien, même si beaucoup préfèrent utiliser le terme «récréatif», qui est censé faire oublier le fait que la plongée peut également être un sport de temps en temps. Quiconque a déjà dû traîner sa «carcasse» à travers des centaines de mètres de sable se demande parfois pourquoi il fait tout cela, et je sait ce que cela veux dire. L'essoufflement dont je veux parler ici a une autre cause, qui peut être exacerbée par une mauvaise formation, mais affecte généralement tout le monde tôt ou tard. Malheureusement, je ne sais pas pourquoi ce souffle court est maintenant appelée essoufflement et pas simplement à court de souffle. Le premier plongeur à en souffrir était probablement un Français, qui aime généralement plonger souvent et souvent profondément. Et nous sommes donc déjà dans le sujet, car c'est la **PROFONDEUR** qui favorise ou déclenche un essoufflement. Je suppose maintenant que vous avez toujours en tête la loi Boyle & Mariotte et je n'entrerai pas dans les détails. C'est un fait que notre air respirable est de plus en plus comprimé en raison de la pression croissante en descendant et donc plus dense. Cependant, comme nous sommes des créatures terrestres et que notre organisme s'est également adapté à la vie sur terre, nos voies respiratoires sont conçues pour la pression d'un bar, qui règne à la surface de la mer. Si nous respirons ici, l'air «relativement» fluide passe à travers notre nasopharynx, à travers la trachée et à travers les bronches pour arriver dans les poumons. Ce flux d'air aisé est alors appelé flux laminaire. Avec **un flux laminaire**, il n'y a pas de turbulence et la résistance au passage de l'air est faible

Si nous descendons en profondeur, le détendeur nous fournit de l'air sous la pression ambiante, sinon nous ne pourrions pas le respirer. Cependant, cela signifie que nous respirons de l'air à une profondeur d'eau de, par exemple, 30 mètres, qui est sous la pression de 4 bars. Selon Boyle & Mariotte, cela signifie que l'air est désormais 4 fois plus dense qu'en surface. Un être humain sait s'adapter et peut généralement "supporter" cela assez facilement, même à des profondeurs un peu plus grandes. Le fait est cependant que l'air n'est plus assez fluide pour passer au travers les voies respiratoires sans turbulence. Tant que nous sommes détendus et regardons la faune et la flore, tout va bien. Cependant, si quelque chose d'inattendu se produit, un requin qui veut se faire câliner et se rapproche trop de vous, ou un poulpe qui a pris goût à votre tuba et ne veut plus le lâcher, il peut y avoir une augmentation de la fréquence respiratoire. Maintenant, il devient plus difficile pour les muscles respiratoires (muscles des côtes et diaphragme) de déplacer rapidement l'air plus «épais». Plus vous essayez de respirer rapidement, plus les turbulences sont grandes dans les voies respiratoires. Cela entraîne inévitablement une fatigue des muscles respiratoires et donc une respiration insuffisante. L '«échange de gaz», c'est-à-dire l'oxygène passant dans le corps et le dioxyde de carbone sortant du corps, est perturbé. Cela accumule du dioxyde de carbone dans le sang sous forme d'acide carbonique. Comme nous l'avons déjà appris, le niveau d'acide carbonique est responsable du réflexe respiratoire, ce qui signifie que plus il y a d'acide carbonique dans le sang, plus l'envie d'air et la fréquence respiratoire sont élevées.

Ainsi, avec des muscles respiratoires fatigués, nous pompons de l'air épais en inspiration et expiration, et nous ne faisons qu'empirer les choses avec cette respiration haletante. Le manque d'oxygène qui se produit ainsi, nous rend agités et peut mener à la panique. Si vous ressentez ces symptômes, remontez immédiatement et et sans tarder à une profondeur moins grande. Si nécessaire, gonflez le gilet et laissez vous remonter de quelques mètres. Mais n'oubliez pas d'interrompre l'ascension à temps, car un accident de décompression est la dernière chose dont vous avez encore besoin. Il est préférable de s'arrêter entre 15 et 10 mètres et de se calmer. Et ensuite, d'allez à 5 mètres, et y rester pendant 3 minutes ou plus, puis sortir de l'eau. Si vous devez vous désaturer en raison de la durée et de la profondeur de la plongée, vous devez bien sûr respecter ces paliers de déco avant de sortir de l'eau. Si vous n'êtes pas affecté vous-même, mais bien votre partenaire, aidez-le et ramenez-le à une profondeur plus faible et restez toujours avec lui, car un essoufflement  peut également provoquer des évanouissements.

**Symptômes et mesures à prendre en cas d'Essouflement**

<u>Pour la victime</u>

• **besoin d'air**

• **Il n'est pas possible de retenir son souffle pendant une courte période**

• **maux de tête**

• **vertiges**

• **nausée avec altération de la conscience**

**Pour le compagnon** (Pas affecté , mais ce qu'il remarquera?)

- Agitation

- Le manque d'air est apparent

- signe pour l'essoufflement

- panique

- perte de conscience

**Mesures à prendre**

- Établir le contact avec le partenaire de plongée

- Inspiration et expiration lentes et profondes pour expirer du $CO_2$

- Diminuer la profondeur de plongée

- Pause, détente

- Éviter la panique

- Si inconscient le remonter à la surface et prendre de mesures pour réanimation

**10.6 Economie en Respiration**

L'épargne est sur toutes les lèvres depuis la publicité "l'avarice c'est cool". J'admets que le gaspillage n'a pas vraiment de sens, mais un juste milieu peut être trouvé. Dans notre cas, nous parlons de la respiration dite économique, que certains plongeurs utilisent pour pouvoir rester sous l'eau avec une «bouteille» le plus longtemps possible. Je connais également des plongeurs qui économisent de l'air pour montrer aux autres plongeurs qu'ils ont besoin de beaucoup moins d'air qu'eux. Je n'ai jamais eu cette ambition !.

Heureusement, pour le moment, nous avons encore assez d'air pour respirer. La majeure partie de notre oxygène, soit près de 50%, est générée par les algues et les bactéries. Les plantes dans la nature produisent également de l'oxygène pendant la journée, mais certaines d'entre elles les consomment à nouveau la nuit. Donc je ne vois vraiment pas pourquoi je devrais économiser sur ma respiration, désolé. Celui qui pratique la respiration économique modifie sa respiration de 180 degrés dès qu'il a la tête sous l'eau. Faites attention à votre comportement, et vous serez étonné, car presque tous les plongeurs le font cela et ce n'est que lorsque vous le faites consciemment que vous pouvez modifier votre comportement. Et vous pouvez même économiser encore plus, notamment sur les plombs. Revenons donc à l'économiseur respiratoire. Quand Il plonge sa tête sous l'eau il inspire généralement profondément. Ensuite, il retient son souffle pendant une période plus longue, puis, comme une baleine, à un moment donné il souffle tout l'air rapidement, puis rapidement il respire à nouveau profondément. Ce cycle est ensuite maintenu pendant toute la plongée. Maintenant je considère une plongée détendue différemment, mais je dois admettre que dans mes premières années, en tant que plongeur débutant j'ai aussi respiré comme ça. Maintenant, cependant, j'ai pu faire plusieurs milliers de plongées et j'ai une certaine expérience qui me fait toujours prêter attention à ce que je fais sous l'eau. Et oui, je retombe encore parfois dans ce comportement d'économie. Personne n'est parfait. Mais en règle générale, je respire comme normalement, à savoir comme à la surface de l'eau. Avec cela, presque tout est dit. J'inspire donc plus ou moins profondément, selon la situation dans laquelle je me trouve, j'expire immédiatement et ensuite je ne respire pas pendant quelques secondes. Et ce rythme se répète continuellement et sans mon intervention consciente. Et c'est exactement ce rythme respiratoire que j'ai aussi acquis sous l'eau. Il faut un peu de pratique et aussi une maîtrise de soi constante, du moins au début. Mais je ne plonge pas gonflé comme une baudruche, mais plutôt comme un requin (vœux pieux). Au moins, cela me rend plus détendu et j'utilise également moins de plomb, donc je n'ai pas à me rééquilibrer constamment. Essayez cela à votre aise

Voici une brève description de ce que vous faites à votre corps avec une respiration économique

## Les conséquences d'une respiration économique

• accumulation de $CO_2$ dans le sang (hypercapnie)

• augmentation du stimulus respiratoire

• Sensation accrue d'essoufflement

• Libération des hormones de stress du cortex surrénalien (adrénaline, noradrénaline)

• Effets sur la circulation:
accélération du pouls
augmentation de la pression artérielle

Conclusion : Evitez la respiration économique et respirez normalement.

### 10.7 Les Reflexes

Un réflexe est quelque chose qui échappe à notre contrôle conscient. Il en existe de nombreux exemples. Si, par exemple, un moustique ou une guêpe tente de s'introduire dans nos oreilles, nous frappons sans réfléchir, par réflexe, pour chasser l'insecte gêneur.

(source) Wikipédia le définit ainsi: Un réflexe est une réaction involontaire, rapide et comme celle d'un organe à un certain stimulus.

Cela semble plus professionnel, mais signifie la même chose.

Bien sûr, nous, les plongeurs, avons également tous les réflexes qu'ont les non-plongeurs, mais deux de ces réflexes sont particulièrement importants pour nous les plongeurs.

## Le Reflex Nasal d'Immersion

Ce réflexe se produit lorsque l'eau pénètre dans notre nez et touche les muqueuses supérieures. Par exemple en sautant dans l'eau. Ce réflexe déclenche un blocage d'inhalation pour empêcher l'eau de pénétrer dans les voies respiratoires et d'engendrer une noyade. Ce réflexe est un peu gênant pour nous les plongeurs, par exemple, lorsque vous remplissez votre masque puis que vous le videz, il peut alors gêner la respiration au point de provoquer une panique. Chaque plongeur doit donc pouvoir maîtriser ce réflexe. La bonne nouvelle est que ce réflexe peut être «entraîné» au fil du temps. Asseyez-vous avec votre équipement complet sur le fond de la mer à 1,20 mètre de profondeur (de sorte que la tête soit sous l'eau), enlevez complètement le masque et remettez-le correctement. Maintenant, respirez calmement avec un masque remplis Restez calme, car vous pouvez vous lever à tout moment et vous "sauver". Il est préférable d'avoir votre partenaire de plongée avec vous et qui a un œil sur vous. Une fois que vous avez maîtrisé cela, retirez complètement le masque et continuez à respirer calmement sur le détendeur. Si cela fonctionne également, vous pouvez essayer en plongée quelques parcours sans masque. Vous pourrez alors petit à petit plonger sans «blocage du nez» et entraîner plus encore votre réflexe nasal d'immersion.

## Le Réflexe de Plongée

Notre passé est dans la mer, principalement sous l'eau. Comme nous l'avons déjà mentionné, nous sommes tous sortis de l'eau il y a des millions d'années. Certains de nos copains et amis de l'époque sont restés là et se sont développés sous l'eau. Nous non ! Je veux dire, que nous ne sommes pas restés dans l'eau, bien que l'on puisse avoir chacun son avis sur ce deuxième aspect; mais ce n'est pas le but de ce livre. Nous avons cependant gardé un réflexe de cette époque, et que nous appelons maintenant le réflexe de plongée. Le physiologiste Paul

Bert l'a découvert. Les chercheurs ne sont pas encore complètement certains de la cause exacte de ce réflexe, mais on suppose qu'il existe des biorécepteurs (terminaisons nerveuses) autour de la bouche et du nez qui signalent au corps que nous sommes au-dessus ou en dessous de l'eau. Ces signaux et quelques stimuli encore inexplorés indiquent alors au corps que nous sommes sous l'eau et que nous devons arrêter de respirer afin de ne pas nous noyer. Dans le même temps, notre rythme cardiaque ralentit et les extrémités (bras et jambes) sont moins alimentées en sang. Les médecins appellent cela le processus de centralisation, car le corps ralenti les fonctions vitales et, dans les cas extrêmes, ne fournit plus en oxygène que le noyau du corps, soit ce qu'on appelle les centres vitaux. Tout cela sert à notre survie si nous tombons à l'eau. D'une part, c'est une bonne chose, d'autre part, ce n'est pas si souhaitable, car nous voulons plonger et nous avons assez d'air avec nous pour respirer. La bonne nouvelle est que nous pouvons également «entraîner» ce réflexe au cours de notre vie. pour qu'il se produise moins fortement. Prenez donc votre détendeur et voyez comment votre corps gère ce réflexe. Rien ne peut vous arriver. Dans 99,9% des cas, vous remarquerez à peine ce réflexe, mais vous remarquerez que vous pouvez très bien être à votre aise sous l'eau. Si ces réflexes n'étaient pas là, nous pourrions nous noyer assez rapidement si nous tombions accidentellement dans l'eau

## 10.8 Noyade séche et humide

Un sujet dont tous les amateurs de sports nautiques n'aiment pas parler c'est la noyade. Je ne suis pas différent; nous voulons donc que ce chapitre soit aussi court que possible. Le fait est que la grande majorité des décès par noyade sont survenus en raison de la consommation antérieure d'alcool. Et comme nous, plongeurs, ne buvons presque pas d'alcool et comme nous ne le mélangeons pas avec la plongée, nous sommes du bon côté de la sécurité. Du moins, je tiens à l'*éviter avant de plonger*

Source deximed.de

L'Organisation mondiale de la santé (OMS) a publié sa propre définition: « la noyade est le processus d'étouffement provoqué par l'immersion dans un liquide ». Les conséquences possibles de la noyade sont la mort, la survie avec dommages ou la survie sans dommages permanents. Dans ce cas, le terme noyade comprend à la fois les personnes décédées des suites d'une immersion dans l'eau et celles qui survivent à un tel incident.

Fin de la source

La **"quasi-noyade"** est un accident lors duquel la victime a survécu.

Il existe également deux types de noyade. La **noyade dite humide** se nomme ainsi parce que l'eau pénètre dans les poumons et réduit ainsi considérablement la surface d'échange gazeux des poumons, conduisant à un manque d'oxygène et finalement à la suffocation.

La **noyade sèche** est appelée ainsi parce que l'eau ne peut pas pénétrer dans les poumons en raison d'un spasme de la glotte (page 184), mais la victime étouffe également en raison d'un manque d'oxygène.

Le traitement d'un tel accident de noyade est le suivant:

**Le sauvetage dans l'eau, sur terre ou dans le bateau doit être effectué immédiatement et rapidement.**

Pour les accidents avec reprise respiratoires spontanés la ventilation devrait toujours être menée avec une teneur accrue en oxygène dans l'air inhalé (si possible **100% d'oxygène**), car l'espace disponible dans les poumons pour l'échange de gaz est /

peut être considérablement réduit en raison de la pénétration de l'eau.

La température corporelle réduite, en raison du refroidissement sous l'eau, augmente la probabilité que la réanimation cardio-pulmonaire réussisse même après une longue période de temps.

Une réanimation cardio-respiratoire ne doit pas être arrêtée trop tôt, même si cela donne l'impression qu'elle pourrait être infructueuse. Comme pour toute réanimation, c'est seulement un spécialiste (ambulancier ou médecin) qui peut décider si une réanimation peut être interrompue. Sinon, vous devez réanimer (massage cardiaque et ventilation) jusqu'à ce que la victime soit à nouveau consciente ou jusqu'à ce que vous soyez épuisé. .

Étant donné que l'état de la victime de l'accident peut s'aggraver spontanément et soudainement, une surveillance constante doit être assurée et il n'est pas nécessaire de mentionner que vous avez déjà appelé un médecin.

Qu'il soit réanimé ou respirant spontanément, la victime doit être immédiatement transféré à l'hôpital le plus proche sous observation constante.

Là, il est absolument essentiel que les victimes d'accidents soient mis en observation dans l'unité de soins intensifs car les poumons endommagés peuvent provoquer une détérioration soudaine de l'état même des jours après l'accident. Mais une fois que les spécialistes ont pris le relais, vous n'êtes plus responsable

## 10.9 L'Accident de Décompression, ou Maladie de décompression

Vous avez probablement déjà entendu ou lu ce terme auparavant. Je ne peut pas m'expliquer pourquoi cela mérite ce nom de maladie, car il y a plusieurs maladies qui ne peuvent arriver à nous les plongeurs que si nous sommes inattentifs. Mais c'est comme ça. L'accident de décompression est aussi appelée mal des Caissons. Le mot Caisson vient du passé. Lorsque le «vieux tunnel de l'Elbe» a été construit à Hambourg à la fin du XIXe siècle, le fond de l'Elbe devait être préalablement préparé pour les fondations. De grands caissons ont été placés sur le fond, lestés et remplis d'air comprimé. La pression de l'air expulsait l'eau hors du caisson et garantissait en même temps qu'aucune eau ne puisse pénétrer et l'inonder. Les ouvriers entraient dans le caisson par un tube et un sas et ils étaient ainsi en mesure de préparer les fondations sur le fond de l'Elbe avec une pelle et une houe pendant toute la journée. Bien sûr, un tel travail est difficile et exigeant. Cela signifiait non seulement que les travailleurs devaient travailler sous pression pendant longtemps, mais il était aussi dur, ce qui augmentait considérablement leur rythme respiratoire. Après une longue journée de travail, ils étaient saturés par les gaz dans l'air respirable (loi d'Henry). En bref, les gaz aiment se dissoudre dans les liquides. Plus la pression ambiante est élevée et plus le temps d'exposition est long, et plus il en est ainsi. La saturation se produit lorsque le gaz ne peut plus se dissoudre sous la pression ambiante. Selon la pression, le type de gaz et la fréquence respiratoire, cela peut être rapide ou long. Mais à un moment donné, la saturation finira par se produire avec certitude. Vous pouvez ainsi imaginer que les travailleurs étaient saturés à une profondeur d'eau de 20 mètres (3 bars) après leurs 10 heures de travail et plus. Ils avaient donc emmagasiné la quantité maximale des composants du gaz respirable dans leur corps, comme c'était aussi le cas dans 20 mètres d'eau. Que dans ce cas ce soit bon ou mauvais on l'ignorait. Parce qu'à cette époque, les médecins n'avaient aucune idée de la maladie de d»compression car la médecine de la plongée en était encore à ses balbutiements. Les travailleurs rentraient donc chez eux et se allaient dans leur bar préféré pour fêter la journée. À cette époque, l'expression fêter le travail était encore pris au pied de la lettre,  et ainsi les femmes devaient prélever le salaire journalier des travailleurs immédiatement après qu'ils aient quitté le lieu de travail, c'était bien connu. Ce fut le cas sur les chantiers navals de Kiel, certainement aussi à Hambourg, jusqu'en 1970. Donc, les travailleurs étaient arrivés dans leur bar et avaient rapidement consommé les premiers verres avant de ressentir les vertiges et que leurs articulations aient commencé à les démanger. Étant donné que l'espérance de vie d'un homme au 19e siècle était d'environ 36 ans, personne n'était très inquiet si on perdait la vue pendant quelques minutes ou si l'audition ne fonctionnait plus bien. Bref, la santé n'était pas un problème à l'époque. Ainsi, de nombreux travailleurs ont pu effectuer de nombreuses journées de travail de ce genre. Les plus vulnérables sont morts un peu plus tôt, les plus solides un peu plus tard. Et presque personne n'y pensait à l'époque. Mais, apparemment inaperçu du public, l'Allemand Felix Hoppe-Seyler avait déjà développé une théorie sur l'embolie gazeuse en 1857. Ainsi, on aurait pu savoir que les gaz que les travailleurs respiraient sous haute pression s'étaient de plus en plus dissous dans leur corps à cause de leur travail intense et sur une longue période de temps. Cependant, après la sortie du caisson, la pression ambiante a chuté massivement , jusqu' à 1 bar, et ainsi les gaz dissous dans le corps sont sorti de l'état de solution et ont formé des bulles de gaz à l'endroit où ils se trouvaient au moment de la chute de pression: donc pour ainsi dire partout. La circulation sanguine a fait le reste et a répandu les bulles à travers les vaisseaux sanguins jusqu'à ce qu'il y ait des accumulations (embolies gazeuses) qui ont obstrué la circulation sanguine ou même l'ont complètement bloquée. Tout le monde peut imaginer ce qui peut arriver lorsque certaines parties du corps ne sont plus alimentées en sang et donc plus en oxygène. Cet état est appelé Mal des Caissons dans la langue vernaculaire, mais il est décrit plus précisément avec les abréviations DCS 1 ou DCS 2, où DCS signifie maladie de décompression. Les chiffres indiquent seulement la gravité de la maladie.

Le principal symptôme du DCS 1 est la douleur. En raison de l'accumulation de bulles, principalement aux points étroits des vaisseaux (veines), il y a des douleurs dans les articulations et des symptômes sous la peau, tels que des rougeurs et des gonflements. Les bulles qui se sont formées peuvent être vues et ressenties sous la peau. La peau est marbrée et démange. La démangeaison est appelée "puces de plongée". La douleur dans les articulations causée par les cloques est appelée "bends"; cela vient de l'anglais et signifie se plier car la douleur survient surtout lors de la flexion des articulations. Les ganglions lymphatiques peuvent également gonfler, mais c'est rarement le cas. Le type 1 du DCS doit déjà être traité immédiatement parce qu'il peut «basculer» vers le type 2 à tout moment.

Le DCS de type 2 est le cas le plus grave et conduit déjà à des défaillances du système neurologique du corps. Reconnaissable par:

**Étourdissements et / ou vomissements**

**Douleurs musculaires et articulaires dès la sortie de l'eau**

**Troubles de l'audition, de la vision et de la parole**

**Coordination musculaire altérée**

**Essoufflement aigu avec douleur thoracique, toux et sensation d'étouffement**

**Symptômes de paralysie**


Les deux cas ont absolument et très rapidement besoin de soins médicaux, car il sera urgent de remettre la victime sous pression, ce qui devrait être fait dans une chambre de décompression gérée professionnellement dans un hôpital. La remise sous pression, combinée à l'apport d'oxygène à 100% et de médicaments, réduit les bulles dans les vaisseaux et, idéalement, elles peuvent ensuite être evacuées par les poumons. De plus, la victime reçoit de l'oxygène pur et une solution en perfusion pour faciliter l'élimination des bulles.

**En tant que plongeur ayant identifié un accident de décompression, DCS 1 ou DCS 2, chez son partenaire de plongée, j'agis comme suit:**

Coucher la victime à plat ou, si cela n'est pas possible,-la placer dans la position qui lui convient le mieux.

Donner de l'oxygène pur à 100% aussi longtemps que possible

Faire boire des liquides (eau) s' il est capable de boire

Garder les victimes au chaud et ne pas les soumettre à des vibrations

Soins psychologiques, (rassurer)

Maintien des fonctions vitales (pouls et respiration), réanimation cardio-pulmonaire si nécessaire

Alerter les services d'urgence (remplir la carte d'urgence en attendant)

Rédiger les données de la plongée sur le rapport d'accident et le remettre au médecin intervenant avec l'ordinateur de plongée de la victime

Les données qui doivent être inscrites sur le rapport d'accident sont importantes pour montrer au médecin l'état de gravité de l'accident de décompression, car le traitement dépendra aussi de la profondeur d'immersion de la victime et de la durée de son séjour à cette profondeur.
Cependant, vous pouvez très facilement éviter un tel accident de décompression en ne plongeant pas trop profondément et en ne restant pas à cette profondeur trop longtemps. Il existe des tables dites de décompression à partir desquelles vous pouvez déterminer les temps de palier et ainsi être du côté de la sécurité. Si vous possédez un ordinateur de plongée, il vous indiquera en temps utile quand vous devez quitter cette profondeur pour éviter un accident de décompression

Prêtez attention au terme **"TEMPS SANS PALIER"**! Le temps sans palier est le temps que vous pouvez rester à une certaine profondeur (Attention! Le temps de descente en fait partie!) sans devoir faire un palier de décompression avant de sortir

Ces temps sont spécifiés dans la table de décompression en fonction de la profondeur. Il est plus sûr si vous plongez toujours dans la limite de non décompression et à la fin de CHAQUE plongée, d'effectuer **un palier de décompression de sécurité** de 3 minutes à 5 mètres.

Un palier de décompression est toujours nécessaire si vous plongez en dehors du temps sans palier. Dans un tel cas, puisque vous êtes devenu particulièrement saturé en gaz respiratoire, c'est-à-dire que vous avez trop d'azote dissous dans le sang, vous devez d'abord évacuer cet azote avant d'avoir atteint la surface de l'eau. Pour ce faire, remontez à une certaine profondeur, en fonction de la table ou des instructions données par l'ordinateur de plongée, et attendez là pour qu'une partie de l'azote soit éliminé. Nous appelons ces arrêts des paliers de décompression. Les profondeurs à respecter commencent à 15 mètres selon la table puis remontent vers la surface par pas de 3 mètres. Un ordinateur calcule la décompression de manière beaucoup plus précise et individuelle, cependant la table n'a pas de piles et ne peut donc pas tomber en panne pendant une plongée. Astuce: même si vous utilisez un ordinateur de plongée, comme 95% des plongeurs loisirs dans le monde, mettez toujours une table de decompression dans votre poche et faites toujours attention à votre profondeur de plongée et à votre temps de plongée. Si votre ordinateur tombe en panne, ce qui, heureusement, ne se produit presque jamais, vous pouvez utiliser la table de décompression pour effectuer au moins une décompression raisonnablement utile. Dans un tel cas, il vaut mieux rester à un palier de désaturation trop longtemps plutôt que trop court. Votre partenaire de plongée peut avoir un ordinateur en état de marche, et quand vous plongez avec votre compagnon faites les paliers de désaturation avec lui. N'oubliez pas qu'un bon partenaire de plongée est la meilleure assurance vie que nous puissions avoir sous l'eau.

D'où notre devise:

# Ne Plongez jamais seul!

Si vous voulez être prudent, restez toujours dans les temps sans paliers et et faites le palier de déco de sécurité de 3 minutes à 5 mètres. Vous aurez tout fait correctement et vous aurez fait une plongée agréable et sûre. A part les requins. ☺ Mais je dois mentionner que plus de gens meurent d'une noix de coco qui leur est tombée sur la tête que d'une attaque de requin. Le requin n'est pas une bête tueuse qui veut absolument vous manger. La plupart du temps, il veut rester seul et disparaît rapidement quand il voit ces "poissons" bouillonnants. Parfois, cependant, il peut être aussi curieux et s'approche de vous. Si vous voulez plonger avec des requins, faites confiance à une visite guidée. Le guide sait exactement où trouver des requins et voit immédiatement quand un requin se sent agacé et peut vouloir attraper une palme de plongée. N'oubliez pas que nous ne sommes qu'un invité sous l'eau et que nous n'avons généralement aucune idée de la vie sous l'eau.

Cependant, si vous avez trouvé un trésor par 40 mètres dde fond et que vous ne voulez naturellement pas laisser aux autres, vous tomberez sûrement hors des temps sans paliers car vous descendrez assez profondément et resterez là plus longtemps. La table de décompression Deco 2000 de Bühlmann / Hahn spécifie un temps sans palier de 7 minutes pour cette profondeur. Supposons que cela vous prenne 2 minutes pour atteindre cette profondeur, vous n'aurez donc que 5 minutes sur place pour prendre l'or. Selon la taille du trésor, ce n'est pas très long. D'autant plus que vous serez probablement très excité, du moins je le serais, et donc vous aurez une fréquence respiratoire accrue. Cependant, cette fréquence respiratoire accrue signifie que vous deviendrez plus saturé, de sorte que plus de gaz respiratoires pourront se dissoudre, ce qui signifie soit une réduction du temps sans palier soit une augmentation des temps de décompression

Il est donc préférable que les trésors soient rarement semés sous l'eau et que cette "histoire" soit un peu tirée par les cheveux. Ne mettez pas votre vie en danger inutilement en repoussant les limites. À une profondeur plus faible, en fonction de l'eau, c'est beaucoup plus lumineux et les couleurs sont encore assez discernables. Il y a beaucoup plus d'animaux qui s'y promènent qu'à 40 mètres. Vous pouvez y trouver d'excellents sujets pour votre appareil photo sous-marin, et il n'y a pratiquement aucun risque d'avoir un accident de déco.

Les plongeurs sportifs ne plongent pas à plus de **40 mètres**! Dans certains pays, comme l'Égypte, la profondeur de plongée est même limitée à **30 mètres**. Avec le début de la remontée, qui doit ensuite être effectuée en continu, le temps fond se termine, car la pression diminue désormais régulièrement. Cela signifie que si, par exemple, vous avez atteint 15 mètres après la descente (dès que vous avez mis la tête sous l'eau) et commencez à remonter après moins de 72 minutes, vous êtes dans un temps sans palier. Néanmoins, à la fin de chaque plongée, vous devez observer un palier de sécurité de 3 minutes à 5 mètres de profondeur

Et si vous utilisez du Nitrox comme gaz respiratoire, vous avez déjà fait beaucoup pour éviter un accident de décompression. Mais ne mélangez pas vous-même vos gaz, suivez les cours adéquats pour cela., IDA vous propose de nombreux cours, comme la plongée au Nitrox et également le cours de GasBlender. Dans ce cas, Blend vient de l'anglais et signifie mélange, ce que les amateurs de whisky connaissent également sur les étiquettes des bouteilles. ☺

Cependant, si, contrairement aux attentes, vous devez réellement planifier une plongée avec décompression, vous trouverez la procédure exacte d'utilisation de la table de décompression Deco 2000 à la fin de ce chapitre. Vous pouvez utiliser des tables de décompression pour des plongées jusqu'à 700 mètres d'altitude (bleue) ou à partir de 700 mètres d'altitude (verte). Vous pouvez les commander (Note du traducteur : en lange allemande) auprès de l'IDA à H.Habermehl@ida-worldwide.com ou K.Reimer@ida-worldwide.com

## 10.10. Utilisation des Tables de Déco

Auteur: Dr. Max Hahn

©VDST Verband Deutscher Sporttaucher

Disponible au VDST-Shop

208

Auteur: Dr. Max Hahn

©VDST Verband Deutscher Sporttaucher

Disponible au VDST-Shop

**Remarques sur les calculs de plongée avec les Deco 2000**

Lors du calcul des plongées, une vitesse de descente de 30 m / min est utilisée lors de la descente et la consommation d'air est calculée avec la plus grande profondeur.
Pendant la remontée, la vitesse de remontée est déterminé en fonction de la profondeur, et est de 18 m à 8 m / min, et la consommation d'air est également calculée avec la plus grande profondeur de la plongée.
La consommation d'air aux paliers de décompression est calculée en fonction des profondeurs respectives.

**Remarques sur la plongée en Altitude**

Si nous passons du niveau de la mer aux régions plus élevés des lacs de montagne, la pression ambiante chute.
Pour un lac de montagne à une altitude de 3500 m, par exemple, nous n'avons plus qu'une pression ambiante d'environ 0,65 bar.
Un changement d'altitude nous affecte physiquement par une diminution de l'efficacité de la respiration due à la teneur réduite en oxygène. Le corps a besoin d'un certain temps pour s'habituer à ces conditions environnementales différentes.
Comme nous étions en permanence au niveau de la mer, nous avons dans le sang. une certaine quantité d'azote résiduel en raison de la pression ambiante réduite Pour nous, la première plongée serait déjà une plongée répétitive. Le risque d'accident de décompression augmente considérablement.
Le corps a donc besoin d'un certain temps pour éliminer cette quantité résiduelle d'azote.
Pour ces deux raisons, nous devons nous acclimater pendant au moins une journée.
En raison des conditions de pression modifiées au-dessus et au-dessous de l'eau, il y a un changement de la saturation et de la désaturation en azote.
En conséquence, on utilise d'autres tables de décompression. Avec l'altitude croissante, la pression ambiante après la plongée diminue
Cela signifie que lorsque l'altitude augmente, gradient de chute de pression partielle d'azote augmente dans les derniers mètres de la plongée. En conséquence, les temps de désaturation sont

allongés par rapport aux temps de désaturation au niveau de la mer.
Les temps sans palier sont également raccourcis.
Il existe aussi des calculs de correction correspondants pour l'utilisation des tables de niveau de la mer pour la plongée en lac de montagne.

**Remarque sur la Plongée après et avant un Vol en Avion**

L'air de la cabine est maintenu sec pour des raisons techniques, ce qui entraîne une déshydratation lente mais régulière, notamment sur les vols long-courriers. Le risque d'un accident de décompression lors d'une plongée effectuée le jour de l'arrivée peut être augmenté.
La pression réduite dans la cabine affecte également les muqueuses du front et des sinus, ce qui entraîne des problèmes de compensation de pression lors d'une plongée effectuée le jour de l'arrivée.
Le décalage horaire, qui se produit surtout sur les vols long-courriers à travers plusieurs fuseaux horaires, perturbe également notre horloge biologique et notre rythme veille-sommeil.
Cela peut entraîner des troubles du sommeil, de la fatigue, des étourdissements, des sautes d'humeur, une perte d'appétit et une baisse des performances lorsque des exigences physiques, manuelles et cognitives (mentales).sont nécessaires

Pour ces raisons, IDA recommande que nous nous acclimations pendant au moins une journée et buvions beaucoup (eau, jus ou thé).

Si de l'alcool est consommé pendant le vol, comme l'expérience l'a montré, la plongée le jour de l'arrivée est de toute façon interdite.

Après chaque plongée, il y a une saturation résiduelle presque inévitable dans le corps. Cela signifie que tout l'azote dissous en excès ne peut pas être complètement éliminé, car ce processus prend du temps. Ce fait n'est pas mauvais, car les calculs des temps de plongée en utilisant le temps sans palier ou une table de décompression en tiennent compte. Cependant, si nous montons à bord d'un avion pour rentrer chez nous ou vers la prochaine destination de plongée avec une saturation résiduelle, nous devons tenir compte du fait que la pression à l'intérieur de la cabine de l'avion est réduite à environ 0,7 bar.

Cette diminution de la pression ambiante peut dès lors conduire à un accident de décompression, car nous ne sommes pas encore complètement désaturés. Par conséquent, il est fortement recommandé d'évitez tout vol au moins 24 heures après une plongée. Mon conseil, attendez 48 heures avant votre vol de retour, car alors vos "vêtements de plongée" seront complètement secs, à l'exception des chaussons, qui ne sèchent probablement jamais ☺ et votre sac ne sentira pas si mauvais quand vous le déballerez à la maison

**Comment utiliser la table de décompression Deco 2000**

Les Deco 2000 du Dr. Max Hahn existent en deux versions

La première (bleue) est d'application dans la zone de 0 – 700m au dessus du niveau de la mer.

La deuxième (verte) est d'application dans la zone 701 – 1500m au dessus du niveau de la mer

Nous considérons d'abord la table bleue.
Sur le devant de la table de décompression, les informations de profondeur sont imprimées en gras dans la colonne de gauche de la table. Les temps sans palier respectifs peuvent être trouvé juste en dessous

Le **temps sans palier** est le temps maximum permis entre le moment où on quitte la surface et le début de la remontée sans devoir faire des paliers de décompression
Le **temps fond** est le temps réel ou prévu entre le moment où on quitte la surface (tête sous l'eau) et le début de la remontée.

Divers temps fond sont repris dans la colonne à côté de l'indication de la profondeur avec le temps sans palier.

Il faut toujours lire **dans le sens de la sécurité** quand il y a un temps ou une profondeur à déterminer ou à lire.
**Le côté sécuritaire est toujours celui qui présente le plus faible risque d'accidents de décompression**.

À droite se trouvent les temps, en minutes, pour les paliers de décompression requis dans la colonne des profondeurs respectives. Si aucun palier de décompression n'est nécessaire, la table est vide
Si des paliers de décompression sont nécessaires, la table est surlignée en bleu (vert dans la table de plongée en altitude).

Les lettres à droite de cette colonne identifient l' **indice de saturation** qui, est utilisé au dos, en fonction de l'intervalle de surface, pour déterminer le **temps fictif de pénalisation** pour une plongée qu'on appelle successive

**Information Importante:**

En cas de temps froid ou d'effort <u>bref</u> et intense, on lit, en dessous, le temps juste supérieur au temps fond.

En cas d'effort <u>long</u> et intense, on ajoute 50% au temps fond.

**Exemple:**

**Nous avons la première plongée en mer avec une profondeur de 31 m**
**Temps fond de 16 minutes. Après un intervalle de surface de 2 h 45 min**
**une deuxième plongée prévue à une profondeur de 20 m et un temps fond de 13 min**

Nous avons fait la première plongée à une profondeur de 31m avec un temps de fond de 16m.
On lit dans la table à la profondeur juste supérieure soit 33 m

Dans cette case de profondeur, nous lisons maintenant le temps fond juste supérieur, à savoir 18 minutes.
En lisant à droite nous obtenons le palier de décompression de 5 min à 3 m de profondeur
L'indice de saturation est E.
Cet indice de saturation est maintenant nécessaire car une deuxième plongée doit être effectuée ce jour-là.
Après un intervalle de surface de 2 h 45 min, la deuxième plongée se fait à une profondeur de 20 m et un temps fond de 13 min est prévu.
Étant donné que notre corps stocke toujours une certaine quantité d'azote résiduel après la première plongée, il est nécessaire qu'un supplément de temps soit déterminé et ajouté au temps fond de la plongée suivante, ce que nous pouvons faire avec celui déterminé précédemment.
On lit sous l'indice de saturation E répétitif de la table.

Dans ce cas, la colonne qui nous concerne est déterminée sur la base de l'intervalle de surface de 2 h 45 min entre 2h30 et 3h00.
Étant donné que la profondeur de la deuxième plongée devrait être de 20 m, la table donne la profondeur de la plongée successive à 18 m.
Le côté de la sécurité dans ce cas est la profondeur plus faible car le supplément de temps est plus élevé.
Le temps de pénalisation de 19 minutes ainsi déterminé s'ajoute au temps fond prévu de 13 minutes.

Avec ce temps fond total de 32 min, la table donne le temps fond juste supérieur de 36 min dans la zone de profondeur de 21 m. Vous pouvez maintenant lire le palier de décompression de 2 min à 3 m sur la droite. L'indice de saturation est maintenant F.

Si nous avions considéré 21 mètres comme profondeur de la plongée successive pour déterminer le temps de pénalisation, nous aurions obtenu un temps de pénalisation inférieur soit 16 minutes.

Si nous ajoutons ce supplément de temps au temps fond prévu de 13 minutes, nous obtenons un temps fond total de seulement 29 minutes.

Relu dans la zone de profondeur de 21 m, cette valeur incorrectement déterminée pour le temps fond serait encore dans le temps sans palier.

Le côté de la sécurité pour déterminer le temps de pénalisation est toujours celui qui donne la pénalisation la plus élevée.

Si l'intervalle de surface est exactement de 2 h 30 min, dans notre exemple (groupe de répétition E) on lit dans la colonne entre 2 h 00 et 2 h 30 car les majorations de temps dans cette colonne sont plus importantes.

Lors de la détermination du temps de pénalisation, la profondeur de la plongée prévue se situe entre deux profondeurs de la table (profondeur de la plongée successive) la profondeur la plus faible est prise car le supplément de temps y est encore plus important. Avec le temps de pénalisation plus long, la quantité d'azote résiduel restant dans le corps après la première plongée est encore toujours prise en compte.

Avec un temps de pénalisation plus petit, une plus petite quantité d'azote résiduel restant dans le corps serait considérée.

Cela peut avoir des conséquences fatales pour la décompression de la deuxième plongée!

### 10.11 La Déshydratation

L'air que les plongeurs respirent doit être soigneusement séché et filtré pour des raisons techniques, notamment pour que le bloc de plongée à air comprimé ne rouille pas à l'intérieur et qu'aucun germe nocif ne puisse se former avant d'être comprimé dans la bouteille. Les bouteilles en aluminium ne rouillent pas, mais ne sont toujours pas protégées contre le développement de germes. De plus, comme nous préférons faire notre sport sous le soleil du sud, nous transpirons aussi souvent, ce qui entraîne une perte d'eau de notre corps.

Ces deux facteurs, auxquels s'ajoute la diarrhée presque inévitable à l'étranger, qu'on oublie souvent bien qu'elle contribue aussi à la déshydratation, sont responsables de la perte d'eau de notre corps. Nous appelons cette perte de liquides la déshydratation

Wikipedia dit ceci :

**La déshydratation** (grec ancien υδωρ hydor, ``eau'' en fraçais; synonymes de déshydratation, hypohydratation, dessèchement, antonyme hyperhydratation) défini en médecine un manque de volume de liquides extracellulaires, qui comprend également le plasma sanguin. La cause en est une perturbation du bilan volumique (perte de sodium et d'eau) ou de l'osmorégulation (perte d'eau isolée).

Le terme habituel "déshydratation" est techniquement incorrect et fait référence à une certaine réaction chimique.

Wikipedia Fin

Étant donné que l'air que nous respirons venant de l'équipement de plongée est très sec, nos muqueuses doivent travailler dur pour humidifier cet air. En conséquence, nous perdons de l'eau que nous rejetons dans l'eau environnante avec l'air expiré. C'est aussi pourquoi la plupart des plongeurs ont soif après la plongée et se précipitent vers le bar pour compenser la déshydratation. Tant que ces plongeurs boivent de l'eau au bar, tout va bien. Parce que nous perdons de l'eau et pas de bière pendant la plongée. ☺ Mais à qui puis-je dire ça?!

Notre sang est composé en grande partie d'eau, environ 50%, et puisque le sang est responsable du transport de gaz dans notre corps, il devrait également être fluide pour qu'il puisse alimenter toutes les cellules du corps. Cependant, plus nous perdons de liquide par la transpiration, les vomissements, la diarrhée ou même la respiration d'air très sec, plus notre sang devient épais. Le sang épais, cependant, est moins fluide et ne peut pas fournir tous les capillaires du corps. Les capillaires sont des vaisseaux sanguins extrêmement minces et finement ramifiés. Ils ont une épaisseur d'environ 5 à 10 micromètres. Aussi fin qu'un cheveu humain. Il est facile d'imaginer que le sang «épais» ne peut pas le traverser, ce qui entraîne un apport insuffisant dans les tissus concernés. L'azote, qui se dissout dans notre corps lors de la plongée, est également mal «éliminé». Donc, si vous êtes plongeur, évitez tout ce qui pourrait assécher votre corps.

**Les facteurs de risque suivants doivent être pris en compte:**

**- gaz respiratoires secs (pour des raisons techniques et**

**inévitable)**

**- mal de mer, vomissements, diarrhée**

**- transpiration abondante pendant les sports de loisirs**

**- Envie accrue d'uriner à cause du thé, du café ou de la**

   **consommation d'alcool**

**- Augmentation du débit urinaire causé par des médicaments**

**- transpiration abondante sous les tropiques**

**- régime amincissant**

**- boire trop peu**

Les médecins de plongée recommandent de boire et vous devriez vous y tenir. Dans les régions chaudes, les plongeurs qui pratiquent leur sport devraient boire au moins 5 à 6 litres d'eau par jour pour éviter la déshydratation. Buvez de l'eau par petites gorgées et prenez votre temps. Si vous buvez 6 fois une bouteille entière d'un litre, vous devrez probablement courir aux toilettes 6 fois par jour, et peut-être encore plus souvent. Le corps a besoin d'un certain temps pour absorber l'eau, tout ce qui est en trop est immédiatement excrété.

**Que puis-je faire pour éviter la déshydratation?**

**- Boire ½ à 1 litre de liquide deux heures avant la plongée**

**- Boire à nouveau de plus petites quantités peu avant la**

  **plongée**

**- Boire entre et après les plongées**

**- Ne buvez pas de café, de thé ou d'alcool**

**- Préférer l'eau avec du jus de fruit ou des**

  **Boissons électrolytiques**

**- Boire en plus avant et pendant le vol en avion**

**- Évitez les contacts direct avec le soleil**

**- Portez des vêtements de plongée appropriés**

**- Eviter l'effort physique avant et entre les plongées**

Même si vous ne faites rien pour perdre du liquide corporel, d'une manière ou d'une autre, votre corps excrète continuellement du liquide.

Nous perdons environ 1,5 litre de liquide par jour par la peau et la respiration et cela dépend aussi de la température ambiante et de l'humidité de l'air. Ainsi, si nous passons nos vacances en Egypte, par exemple, cette perte de liquides augmente rapidement. Si "la vengeance de Montezuma" ( laTurista !) est ajoutée, la déshydratation est inévitable si nous ne buvons pas beaucoup d'eau. N'oubliez pas non plus les sels minéraux que vous perdez. Avant de partir en vacances, demandez à votre médecin ou à votre pharmacien ce que vous devez faire contre la perte de sels minéraux. Les bâtonnets salés, qu'on grignote aux apéritifs, ne sont certainement pas complètement inappropriés comme vieille recette maison, mais sont plus un second choix en raison de leurs effets d'augmenter la tension artérielle. Mais à moins qu'on ait autre chose, ces bâtonnets salés valent mieux que rien.
Comme si nous ne perdions pas déjà suffisamment d'eau grâce aux processus mentionnés ci-dessus, il y a aussi ce que l'on appelle l'effet d'immersion. L'immersion signifie plonger sous l'eau. Et la plongée est notre but dans la vie, en tant que plongeur. En raison de la pression que l'eau exerce sur notre corps et de notre position dans l'eau, notre sang, qui est accumulé dans les jambes en position debout, est transféré vers notre abdomen et notre poitrine. Notre corps essaie de compenser l'augmentation de la pression qui en résulte dans le tronc en libérant du liquide et en abaissant ainsi la pression. Le processus de contrôle est complexe et difficile à comprendre pour nous, profanes, mais nous en remarquons rapidement l'effet. Notre vessie se remplit rapidement et nous avons alors un besoin urgent d'aller aux toilettes. En plongeant dans une épave devant l'Elbe, j'ai trouvé des toilettes intactes qui auraient pu être utilisées, mais je n'ai pas osé m'y asseoir. Je trouve aussi toujours les plongeurs en costume sec particulièrement amusants, quand ils sautent hors de l'eau comme mordus par la tarentule et crient au secours car ils ne peuvent pas ouvrir leur

fermeture éclair tout seuls. Mon ami espagnol Antonio a un jour perdu le combat contre la fermeture éclair il y a plusieurs années et a ensuite voulu me vendre sa combinaison étanche à un prix raisonnable. J'ai d'abord pris mes distances. D'abord de lui, puis d'acheter le costume sec ☺

Ce processus est appelé diurèse de plongée et décrit le besoin accru d'uriner lors de la plongée. Ceci est parfaitement normal, vous n'avez donc pas besoin de consulter un médecin. Il vous suffit d'aller aux toilettes juste avant la plongée et d'espérer que votre partenaire de plongée ne prolonge pas la plongée trop longtemps. Dans ce contexte, je voudrais également reprendre brièvement le terme "réchauffer sa combinaison" et souligner qu'à mon avis, c'est quelque chose qui n'est pas à faire. Il y a des plongeurs et plongeuses qui ne se gênent pas et « mouillent » leurs combinaisons de plongée, mais je refuse de le faire. Il y a certainement des situations dans lesquelles cela ne peut pas être évité, mais en général, vous pouvez terminer la plongée et aller aux toilettes, comme le font les personnes civilisées. Veuillez excuser mes mots clairs, mais depuis que j'ai dû ouvrir la combinaison étanche d'Antonio, je suis devenu olfactif.

### 10.12. Blessures par la Faune aquatique

La solution pour éviter d'être blessé par un animal marin est très simple:

**Ne touchez à rien sous l'eau!**

**Ne nourrissez pas les animaux!**

**Portez des vêtements de protection pour vous protéger contre tout contact accidentel!**

**Soyez toujours attentif et gardez vos distances avec tout, mais pas avevotre partenaire de plongée!**

Si nous sommes blessés sous l'eau, c'est à 99% de notre faute car nous avons violé l'un des conseils de la page précédente. De nombreux animaux, au-dessus et au-dessous de l'eau, n'apprécient pas d'être touchés par les humains. Un animal ne sait pas que vous ne voulez pas lui faire de mal car il ne peut pas lire dans votre esprit. Donc, il se protège par tous les moyens et cela peut vous occasionner de la douleur ou pire

Beaucoup de petits animaux vous mordent, ce qui fait mal au début et peut s'enflammer plus tard. Selon la taille de la plaie, la perte de sang peut également avoir de graves conséquences.

Si vous avez été blessé par une murène en touchant ses dents ou par une morsure, la plaie doit toujours être nettoyée et désinfectée le plus rapidement possible. Le rinçage à l'eau de mer n'est pas suffisant. Une visite chez le médecin est nécessaire et cela devrait être fait très rapidement

Une murène n'est pas vénimeuse, mais comme elle se nourrit généralement de charogne, elle a des toxines dans sa flore buccale qui sont causées par les processus de décomposition de la charogne. Ces poisons sont transmis par la morsure et conduisent à des infections dites secondaires. Rincez la plaie du

221

mieux que vous le pouvez désinfectez la plaie avec de l'iode ou un désinfectant similaire et consultez immédiatement un médecin

**Quels animaux peuvent causer quelles blessures?**

**La pieuvre à anneau bleu** - transmet dans la morsure un poison attaquant le système nerveux, qui peut être mortel.

**La Murène** – provoque une morsure occasionnant une plaie souvent saignante qui peut s'enflammer (infection secondaire).

**Le Congre (anguille congre)** - provoque une plaie qui saigne souvent fortement en raison de la morsure. L'inflammation est possible.

**Le Barakuda** - Provoque une plaie qui saigne souvent abondamment à cause de la morsure. L'inflammation est possible.

**Le requin** - provoque une blessure qui saigne souvent abondamment à cause de la morsure. Selon la taille de la morsure, l'inflammation est probablement le moindre de vos problèmes. Soit dit en passant, les requins ne sont pas des animaux sanguinaires et préfèrent se reposer. Si le requin vous attaque, vous avez généralement fait quelque chose de mal.

**Le serpent de mer** - les serpents de mer sont parmi les animaux les plus venimeux du monde. Gardez vos distances et laissez l'animal tranquille. Si vous avez été mordu, sortez de l'eau et consultez immédiatement un médecin. Mais vous ne rentrent pas dans la catégorie des proies du serpent de mer, car il préfère manger de petits poissons, vous ne serez probablement jamais mordu par l'un d'eux.

**Poisson-chirurgien** - plaies saignantes causées par les épines caudales

**Poissons Ballistes** – causent des plaies par morsure, en particulier pendant la saison de reproduction.

**Les Cônes** - piqûres par l'appendice de défense (radula). Le poison peut également être mortel pour l'homme.

**Méduse** – les poisons sont libérés au toucher. Habituellement pas fatal, mais très douloureux. Peut cependant entraîner la mort suite à une réaction allergique.

Comme vous pouvez le constater, la liste des animaux qui peuvent gâcher vos vacances est longue, et est loin d'être traitée de manière exhaustive avec les animaux mentionnés ici. Mais soyez assuré que si vous ne vous approchez pas trop des animaux, vous n'aurez aucune mauvaise surprise. De plus, les animaux ne sont pas présents dans toutes les eaux du monde. Avant chaque séjour, renseignez-vous sur les animaux que vous pourriez rencontrer et veillez à ne pas trop vous en approcher. Vous passerez ainsi de bonnes vacances de plongée et pourrez rentrer chez vous en toute sécurité. Et si vous ne vous éloignez pas trop du moniteur sur place, il prendra également soin de vous. Si maintenant je vous ai fait peur, j'en suis désolé, mais vous devez savoir qu'il y a des animaux qui **peuvent** être dangereux. Suivez les conseils de la page 220 et vous serez du côté de la sécurité

## 11.0 Pratique de la Plongée

La plongée est très amusante et, si vous suivez certaines règles, elle est sûre. Restez toujours en forme grâce au sport et à une alimentation appropriée. Ne pratiquez pas seulement votre sport en vacances, car si vous ne faites de la plongée qu'une ou deux fois par an, les premières plongées sont comme un nouveau départ à chaque fois et la routine ne peut même pas s'installer. Il existe de nombreux plongeurs et de sites de plongées en Allemagne.

Assurez-vous toujours que votre équipement de plongée est en parfait état et fonctionne parfaitement.

Entraînez-vous régulièrement avec votre équipement de plongée (pas seulement deux fois par an) afin de ne pas avoir de surprises en vacances.

Par exemple, si vous plongez dans la mer, c'est-à-dire dans la mer du Nord ou la mer Baltique, assurez-vous que lorsque la marée a un effet, il est préférable de plonger lorsque c'est l'étale

L'étale est a période qui s'écoule entre les marées. Après la montée ou la descente des eaux, c'est calme, et le courant a disparu. ☺

## 11.1 Règles de base de la plongée!

- **Ne pas plonger seul!**

  Votre partenaire de plongée est votre meilleure assurance vie. Même s'il ne peut pas vous aider directement, il peut toujours demander de l'aide. Le cours de plongée Solo-Diver proposé par IDA n'est pas non plus destiné à plonger seul, mais vise uniquement à renforcer les compétences en solo dans le cas où le partenaire ne se révèlerait pas être une assurance-vie..

- **Garder toujours un œil sur le partenaire de plongée!**

  Faites attention à votre partenaire de plongée quand il s'occupe de vous. Parce que tout comme il est votre assurance vie, vous êtes la sienne .

- **Je dois pouvoir rejoindre le partenaire de plongée sans air!**

  Ne vous éloignez pas de votre partenaire de plongée pour que vous puissiez toujours le voir clairement, et maintenez une courte distance de manière à pouvoir atteindre votre partenaire de plongée en apnée à tout moment..

- **Remonter en cas de perte du compagnon!**

  Si vous avez perdu de vue votre partenaire de plongée, jetez un coup d'œil rapide. Tournez lentement de 360 degrés et regardez également de haut en bas. Si vous ne trouvez plus votre partenaire de plongée, vous remontez en surface Votre partenaire vous y attend peut-être déjà ou vous pouvez peut-être le localiser grâce à ses bulles.

- **Ne pas plonger si on ne se sent pas bien ni si on a un rhume!**

Un plongeur qui n'est pas à l'aise ou qui doit prendre des médicaments ne doit pas plonger. En raison de son état hors forme, il peut devenir un danger pour lui-même et ses partenaires de plongée.

- **Ne pas plonger à plus de 40m!**

Dans certains pays (par exemple l'Égypte), la plongée est autorisée jusqu'à une profondeur de 30 mètres. Une plongée plus profonde augmente le risque d'ivresse des profondeurs et le risque d'accident de décompression. Restez raisonnable et ne laissez pas les autres «vous attirer». Il y a beaucoup de plongeurs récréatifs qui veulent assurer leur réputation avec "l'inscription de 40 mètres" dans leur log-book (vulgairement : ils veulent se vanter). En fin de compte, bien sûr, c'est vous décidez de la profondeur à laquelle vous plongez, car il y a peu de raisons de plonger à plus de 40 mètres.

- **Ne pas retenir sa respiration à la remontée!**

Inspirez et expirez continuellement sur le détendeur pendant que vous remontez et ne retenez jamais votre respiration. En cas de remontée d'urgence, mettez la tête en arrière et expirez continuellement jusqu'à atteindre la surface

- **Terminer la plongée avec 50 Bars de réserve!**

La pression résiduelle de 50 bars, indiquée en rouge sur le manomètre, doit toujours rester dans le bloc de plongée. Les 50 bars restants sont prévus comme une réserve, de sorte qu'en cas de situation inattendue, il reste suffisamment d'air résiduel pour réagir en conséquence. Par exemple, si l'ancre est coincé et doit être libérée à la main. Si quelque chose tombe par-dessus bord et doit être récupéré. Si vous avez besoin de retrouver un partenaire de plongée ..

**Autres règles!**

Le plus faible du groupe détermine la durée, la profondeur et le rythme de la plongée. Veiller à la composition de la palanquée.

Les positions respectives dans la palanquée qui sont spécifiées par le chef de palanquée doivent être respectées.

Dès que l'un des plongeurs a froid ou a d'autres problèmes qui ne peuvent pas être résolus à court terme, la plongée est interrompue et on remonte.

Une palanquée se met toujours à l'eau ensemble et ressort de l'eau ensemble.

On ne plonge qu'avec un équipement complet et entièrement fonctionnel.

On ne touche à rien et on ne retire rien de l'eau.

On ne nourri pas les animaux sous marins.

Commencez toujours la plongée à contre-courant, en particulier lorsque vous plongez d'un bateau, il est ainsi possible, de se laisser ramener vers le bateau par le courant lorsque vous êtes épuisé.

Planification de la plongée, voir page 64 et suivantes.

Recommandations pour la constitution des palanquées : voir page 95.

**De plus, IDA recommande les profondeurs maximales suivantes en fonction de l'âge:**

**8 – 12 ans : 5 Mètres**

**12-16 ans: 12 Mètres**

**16-18 ans: 25 Mètres**

**A partir de 18 ans: 40 Mètres**

Pour les cas d'urgence, tous les membres de la palanquée doivent avoir été spécialement formés, car on ne peut pas supposer que celui qui dirige la palanquée, généralement le chef de palanquée, ne puisse pas avoir lui-même un accident.

Cela signifie que tous les membres de la palanquée et bien sûr, tous les plongeurs en général, doivent avoir les connaissances théoriques et pratiques suivantes:

Savoir où se trouve le coffret de secours et pouvoir également utiliser son contenu.

Savoir où se trouve le matériel d'oxygènothérapie et comment administrer correctement de l'oxygène.

Savoir comment et avec quoi passer un appel d'urgence.

Savoir administrer les premiers soins, y compris la RCP.

Savoir remplir un rapport d'accident de plongée.

## 11.2 La Chaîne des Secours

Comme pour un accident de voiture, il existe des «mesures immédiates vitales» que chaque plongeur doit maîtriser. Comme nous l'avons déjà mentionné, nous sommes légalement tenus d'aider une victime d'un accident autant que possible et sans nous mettre en danger. Par conséquent, les premiers secours sont un aspect essentiel de l'apprentissage de la plongée, et vous rencontrerez cet aspect encore et encore avec chaque formation que vous suivrez toujours dans votre longue et heureuse vie de plongeur. Même si ce sujet n'est pas l'un de vos sujets préférés et que vous vous sentez un peu mal à l'aise lorsque vous vous rendez compte que vous êtes vous-même le secouriste. Ne vous inquiétez pas, c'est ainsi pour tout le monde. Mais il vaut beaucoup mieux se préparer à une telle situation que de se trouver devant la victime et de ne pas savoir ce qui doit être fait. Personne, pas même un juge, n'attendra de vous les compétences d'un ambulancier ou d'un médecin, mais on peut raisonnablement s'attendre à ce que l'on réanime une victime d'un accident ou que l'on effectue un massage cardiaque, et vous devriez également être capable de la mettre en position latérale stable. Chez nous plongeurs, il y a, en général, l'administration d'oxygène. Et même si vous n'osez pas aider la victime, vous pouvez au moins demander de l'aide à haute voix ou appeler à l'aide par téléphone.

Un secouriste doit garder la tête claire et ne doit pas agir complètement au hasard. Le protocole de sauvetage commence donc par se donner un aperçu de la situation et essayer de rester calme (facile à dire, je sais)

# Voir - Evaluer – Agir

Si nous avons été mordus par un animal, ou nous nous sommes blessés sur un rocher ou du corail, ce n'est pas forcément un accident de plongée, même si cela s'est produit en plongeant. Bien sûr, ces blessures doivent également être traitées. Une crise cardiaque, qui peut malheureusement se produire avec des plongeurs qui ne sont pas en forme, n'est pas un accident de plongée, car ce type d'accident pourrait tout aussi bien se produire en faisant du vélo ou en jouant au football.

Un accident de plongée est provoqué par l'augmentation de la pression ou la diminution trop rapide de la pression. Il y a donc soit un barotraumatisme, soit un accident de décompression. Selon la gravité de l'accident, il peut être nécessaire de remettre la victime sous pression, c'est-à-dire de la placer dans une chambre de recompression. La «recompression humide» est interdite, car un plongeur qui est déjà victime d'un accident ne doit en aucun cas être remis sous l'eau. Appelez des professionnels pour obtenir de l'aide et composez les numéros de téléphone appropriés dont pour pouvoir agir à temps, avant que l'accident ne s'aggrave.

Étant donné que, dans la plupart des cas, la victime développe en plus un état de choc, cela doit être traité, voir la chaîne des secours. En cas de choc, la tension artérielle de la victime chute brutalement et la victime peut difficilement rester debout. En règle générale, il est logique de mettre la victime sur le dos et de soulever légèrement les jambes. Cela permet au sang de refluer dans le corps et les organes, y compris vers le cerveau, ils sont alors à nouveau mieux alimentés en oxygène.

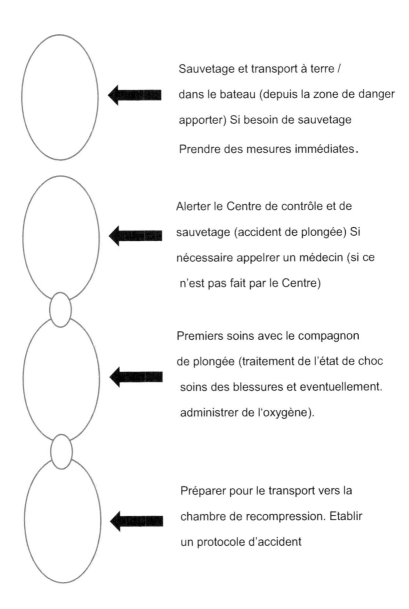

Sauvetage et transport à terre / dans le bateau (depuis la zone de danger apporter) Si besoin de sauvetage Prendre des mesures immédiates.

Alerter le Centre de contrôle et de sauvetage (accident de plongée) Si nécessaire appelrer un médecin (si ce n'est pas fait par le Centre)

Premiers soins avec le compagnon de plongée (traitement de l'état de choc soins des blessures et eventuellement. administrer de l'oxygène).

Préparer pour le transport vers la chambre de recompression. Etablir un protocole d'accident

231

**Mesures immédiates**

**Protection et Secours**

**Contrôle de**

**conscience–respiration–pouls**

**Appel des secours**

**Par GSM, VHF ou téléphone**

Premiers soins

Par exemple mettre un

bandage

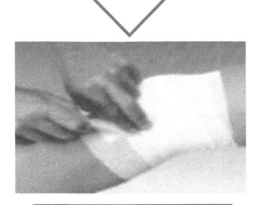

Service des secours

Transport vers l'hôpital

Hôpital et / ou

Chambre de recompression

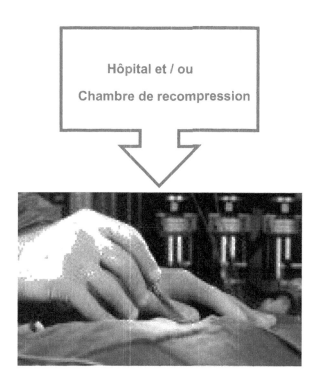

Séquence schématique lorsque la victime est consciente!

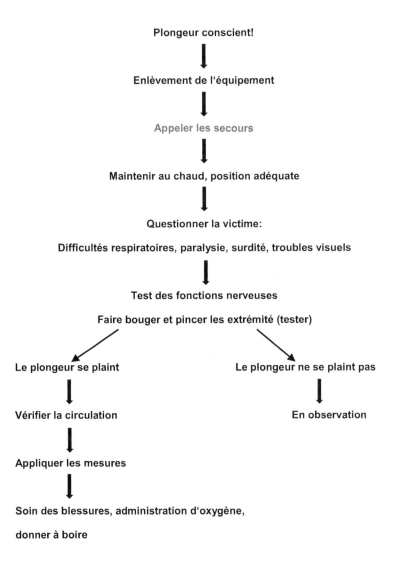

Plongeur conscient!

↓

Enlèvement de l'équipement

↓

Appeler les secours

↓

Maintenir au chaud, position adéquate

↓

Questionner la victime:

Difficultés respiratoires, paralysie, surdité, troubles visuels

↓

Test des fonctions nerveuses

Faire bouger et pincer les extrémité (tester)

Le plongeur se plaint          Le plongeur ne se plaint pas

↓                              ↓

Vérifier la circulation          En observation

↓

Appliquer les mesures

↓

Soin des blessures, administration d'oxygène,

donner à boire

Séquence schématique quand la victime est inconsciente :

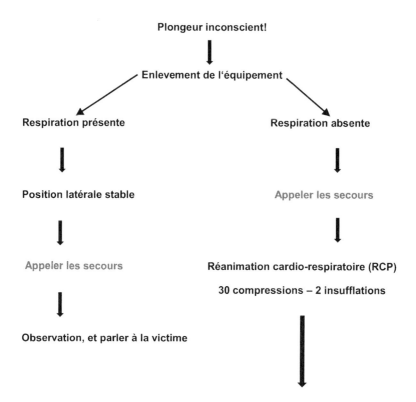

Plongeur inconscient!

Enlevement de l'équipement

Respiration présente

Respiration absente

Position latérale stable

Appeler les secours

Appeler les secours

Réanimation cardio-respiratoire (RCP)

30 compressions – 2 insufflations

Observation, et parler à la victime

Effectuer la RCP jusqu'à l'arrivée du médecin ou des secours,

ou jusqu'à ce qu'il y ait des signes de mort clairs et non ambigus.

Un non-médecin n'est pas compétent pour déterminer la mort.

La réanimation doit être pratiquée activement et intensivement par chaque participant. Un dispositif d'entraînement à la réanimation (mannequin de réanimation) est obligatoire pour cela. Les exercices et le contenu pédagogique doivent être basés sur les directives actuelles du Conseil européen de réanimation (ERC). Étant donné que ces directives peuvent changer en fonction des progrès médicaux, il est logique de suivre un cours de premiers soins chaque année.

## 11.3 Hypothermie

## et Hyperthermie

Thermie révèle déjà un peu ce cela signifie. Presque tout le monde a une chadière à la maison, ce qui génère généralement de la chaleur pour l'eau du bain et le chauffage. Cela concerne donc la chaleur ou le manque de chaleur. Les termes hypo- et hyper viennent du grec et sont ce qu'on appelle des «préfixes», c'est-à-dire des extensions de mots qui apparaissent avant le radical du mot, dan le cas présent : thermie. Hypo signifie "sous", comme dans une hypothèque, ce qui signifie que l'argent est sous-représenté dans notre portefeuille. Nous devons donc emprunter quelque chose à la banque, par exemple pour pouvoir payer notre maison. Hyper signifie «au-dessus», et cela apparaît dans le légendaire Hyperman, qui, selon les bandes dessinées de l'époque, était au-dessus du surhomme et l'a surpassé. Vous voyez, je reste fidèle à mes images. L'hypothermie signifie trop peu de chaleur et l'hyperthermie signifie trop de chaleur. Quand cela touche le plongeur? C'est évident et très fréquent. Quelqu'un qui gèle souffre déjà d'hypothermie et cela peut aller si loin que nous pouvons perdre connaissance. Ce n'est pas recommandé sous l'eau. Si je sens que je gèle, je termine immédiatement la plongée, car un plongeur gelé est un mauvais plongeur et peut être dangereux pour ses partenaires de plongée.

# Température centrale du corps

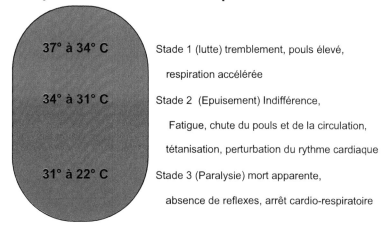

| | |
|---|---|
| 37° à 34° C | Stade 1 (lutte) tremblement, pouls élevé, respiration accélérée |
| 34° à 31° C | Stade 2 (Epuisement) Indifférence, Fatigue, chute du pouls et de la circulation, tétanisation, perturbation du rythme cardiaque |
| 31° à 22° C | Stade 3 (Paralysie) mort apparente, absence de reflexes, arrêt cardio-respiratoire |

Mais ne vous inquiétez pas maintenant, avant que tout cela ne se produise, vous sortirez déjà volontairement l'eau parce que vous gèlerez tellement que vous perdrez le plaisir de la plongée. Mais que se passe-t-il si vous avez maintenant un partenaire de plongée qui ne veut toujours pas interrompre la plongée (le trésor, vous vous souvenez?) Et continue même s'il montre déjà les signes du premier ou du deuxième stade? Prenez textuellement votre compagnon par la main et sortez de l'eau avec lui. En fonction de la gravité de l'hypothermie, assurez-vous que la victime, appelons-le ainsi, enlève immédiatement sa combinaison de plongée et s'habille chaudement! Des couvertures et des boissons sucrées chaudes (pas de grog ou similaire) sont ici nécessaires. Si le stade 2 est atteint, ce traitement n'est pas suffisant, appelez immédiatement un médecin urgentiste et gardez la victime au chaud jusqu'à son arrivée. Veillez également aux fonctions vitales et réanimez la victime si nécessaire. Pour éviter tout ce désagrément, vous devez vous équiper d'un matériel adapté à la température de l'eau. Une combinaison étanche n'est pas bon marché, mais avoir froid ou même geler est bien pire. Pour ceux qui sont particulièrement sensibles, fabricants de matériel de plongée ont même des chaussettes et sous-vêtements avec chauffage électrique.

Le contraire du froid (hypothermie) est la transpiration (hyperthermie). C'est généralement agréable d'être au chaud, mais cela peut aussi être une trop bonne chose. La surchauffe du corps se produit lorsque la dissipation thermique est perturbée. Il peut y avoir différentes raisons. Cela est dû à des vêtements inappropriés et / ou à une chaleur extrême et à un fort ensoleillement, souvent négligé. Que se passe-t-il lorsque le corps entre en surchauffe? La perte de liquide (transpiration ou déshydratation) signifie que nous perdons non seulement de l'eau, mais également des sels importants dont le corps a un besoin urgent. La déshydratation, se produit lorsque nous transpirons abondamment et ne fournissons pas suffisamment de liquide à l'organisme. Le sang, qui contient une grande partie de l'eau dans le corps, devient plus épais et le débit et la capacité de transporter l'oxygène diminuent. L'épuisement par la chaleur se produit avec les signes suivants: respiration superficielle et rapide, pouls peu marqué et rapide, peau humide, froide, nausée et transpiration abondante, et si on ne procède pas à un refroidissement et à l'approvisionnement en eau aussi rapidement que possible, on atteint le stade suivant avec parte de conscience par la chaleur. Dans un tel cas, la chaîne de sauvetage illustrée ci-dessus doit être mise en œuvre et la victime doit être refroidie immédiatement. Le refroidissement doit également être pratqué avec soin, car une trop grande différence de température en un temps trop court peut également avoir un effet néfaste sur la circulation sanguine de la victime. Si la victime est consciente, lui donner de l'eau (avec des électrolytes tels que le potassium, le magnésium, le calcium, le sodium) et la mettre à l'ombre, de préférence dans une pièce fraîche (pas de chambre froide). L'Elotrans® est un bon fournisseur d'électrolytes et est également souvent prescrit pour la diarrhée. Vous pouvez obtenir Elotrans® dans toutes les pharmacies et devrait se trouver dans la pharmacie de voyage. **Mais parlez-en à votre médecin de famille avant de le prendre, car Elotrans® ne convient pas à tout le monde et peut même être nocif**. Si vous n'avez rien de ce genre à portée de main, une bouteille d'eau minérale est la meilleure alternative, le thé froid avec beaucoup de sucre convient également. Si possible, vous pouvez également mélanger un litre d'eau avec une cuillère à café de sel et deux cuillères à café de sucre et donner cela à boire à la victime par petites gorgées. Le sel pour l'équilibre minéral et le sucre, pour le mélange soit buvable. Si la victime est inconsciente, déplacez-la dans une pièce fraîche ou à l'ombre si aucun bâtiment ne peut être atteint et appelez immédiatement un médecin. Déséquipez la victime de ses vêtements (combinaison de plongée) et surveillez ses fonctions vitales. Si nécessaire, réanimez jusqu'à l'arrivée du médecin. Vous pouvez prévenir l'hyperthermie en portant des vêtements appropriés. Donc, pas une combinaison étanche avec du néoprène de 9 mm en mer Rouge, mais une combinaison de plongée de 3 mm, également pour se protéger contre les blessures. Évitez le soleil de midi, restez à l'ombre et buvez beaucoup d'eau. Pensez également aux électrolytes.

Mais en plongeant, nous respirons de l'air très sec car le compresseur purifie et sèche l'air pour éviter que les bouteilles d'air comprimé ne rouillent. De plus, en raison de la position horizontale dans l'eau et de la pression ambiante plus élevée, il y a un besoin accru d'uriner (appelé diurèse du plongeur), auquel l'un ou l'autre cède en "mouillant" sa combinaison! Dans le jargon technique, cela s'appelle réchauffer sa combinaison et ce n'est pas souhaitable, pour des raisons compréhensibles. Vous pourriez difficilement éliminer l'odeur de votre combinaison.

À l'étranger, avec un régime alimentaire inhabituel, on peut aussi souffrir de diarrhées ou de vomissements, alors que nous avons déjà une déshydratation classique. Soit dit en passant, il est vrai qu'il y a des électrolytes dans la bière, mais l'alcool qu'elle contient est malheureusement contre-productive. Alors pour les Pils, attendez jusqu'à ce que vous soyez en bonne santé et à nouveau en forme.

## 11.4 La Nourriture et la Plongée

L'eau n'est pas seulement l'élément dans lequel nous aimons nous déplacer, c'est aussi l'élément dont nous sommes largement composés, soit pour environ 70%. Une grande partie de cette eau est présente dans les cellules du corps, mais il y a aussi beaucoup d'eau dans le sang. Selon la quantité d'eau dans le sang, le sang est plus fluide ou non. Puisque nous voulons nous débarrasser de l'azote inhalé aussi rapidement que possible et que le sang prend le relais, nous devons nous inquiéter du fait que notre sang soit toujours efficace et fluide. Donc, buvez beaucoup d'eau, en particulier dans les zones chaudes, et assurez-vous également de reconstituer les minéraux éliminés par la transpiration et l'augmentation de l'envie d'uriner. Il est préférable d'en parler à votre médecin de famille avant un voyage de plongée et de lui demander des conseils. Si vous voulez plonger le matin, préparez-vous la veille. Buvez peu d'alcool ou mieux pas d' alcool et ne mangez rien qui pourrait vous priver d'un sommeil sain. Prenez un petit déjeuner avant la plongée et accompagnez-le d'une seule tasse de café. Évitez tout ce qui irrite inutilement votre estomac, sinon vous risquez de perdre l'envie de plonger pendant la promenade en bateau. Gardez également à l'esprit que **tous** les gaz du corps participent à l'égalisation de la pression. Et il y en a toujours quelques poches dans le tractus gastro-intestinal qui peuvent causer des douleur en raison du changement de pression. Avant de plonger, évitez généralement toute nourriture ou boisson pouvant provoquer des ballonnements. L'eau minérale avec beaucoup de dioxyde de carbone n'est pas conseillée, buvez de l'eau plate avant de plonger. Mieux vaut ne pas manger de féculents (pois, haricots, lentilles, etc.) avant la plongée, pas même la veille. Ne plongez pas immédiatement après avoir mangé, mais attendez au moins une heure ou deux avant de vous mettre à l'eau. Et enfin et surtout, si vous n'êtes pas complètement en forme, restez à terre et ne plongez pas.

## 11.5 Les Drogues et la Plongée

Oui, l'alcool est aussi une drogue. Quoi de plus agréable après la plongée que de revoir la plongée avec vos partenaires de plongée et de boire une bière ou deux? Juste un peu ! Mais soyez assurés que c'est une partie essentielle des "aprés" et fait également partie de notre sport et pas seulement du football. On dit que le corps humain élimine environ 0,1 pour mille alcool par heure. Il n'y a donc certainement rien de mal à prendre un «petit somnifère» sous forme de bière, de préférence sans alcool, la veille de la plongée. Mais alors ça devrait se limiter à une bière; sinon, vous augmenterez la sensibilité de votre corps à l'ivresse des profondeurs ainsi que la susceptibilité au à l'accident de décompression qui augmente ainsi. Il est préférable de décider la veille si vous souhaitez plonger le lendemain ou non et d'agir en conséquence. Je ne veux certainement pas parler d'alcool ici, mais il serait hypocrite de ne pas mentionner la bière après la plongée et en même temps de "diaboliser" les fumeurs. Bien sûr, vous pouvez également boire du thé, de l'eau ou du café lors de ces «aprés». Mais c'est ainsi, et j'ai vécu cette expérience dans de nombreux pays à travers le monde, et c'est ainsi partout ☺ J'ai certainement l'air ici un peu « donneur de leçons », mais près de 40 ans de pratique de la plongée avec "Aprés" m'ont fait boire, et moi-même ni personne que je connaisse n'en est devenu alcoolique ou malade. J'ai tout apprécié avec modération et comme Paracelse l'a dit: **«Tout est poison et rien n'est sans poison; seule la dose fait qu'une chose n'est pas du poison »**(Source: wikipedia)

Maintenant, il y a aussi des drogues qui peuvent être fumées ou que vous devez injecter ou simplement avaler. Pour autant que je sache, il n'y a pas d'études sur leurs effets sur la plongée, donc je déconseille fortement de plonger après avoir "apprécié" ces formes de médicaments. Les médicaments de toute nature sont en fin de compte des médicaments et, puisque seul un plongeur en bonne santé doit aller à l'eau et qu'un plongeur qui prend des médicaments n'est pas en bonne santé, par définition, il ne doit pas se mouiller lors de la prise de médicaments. Mais…. il existe des médicaments qui n'excluent pas nécessairement la plongée, et même un diabétique bien contrôlé peut le faire. Cependant, la jungle des maladies et des médicaments n'est visible que par le spécialiste. Par conséquent, veuillez demander à votre médecin ou à votre pharmacien si vous êtes autorisé à plonger malgré la prise de «vos» médicaments. La nicotine est également un médicament et l'effet d'une cigarette sur le corps humain est énorme et ne peut pas être entièrement décrit ici. Un fumeur a un risque accru de barotraumatisme pulmonaire en raison du rétrécissement des bronches dû aux composants de la fumée de cigarette. La fumée de cigarette contient notamment du monoxyde de carbone et cette substance empêche l'absorption d'oxygène par le sang. En bref, fumer est à peu près la pire chose que vous puissiez faire à votre corps, à la fois au-dessus et en dessous de l'eau.

## 12.0 Les Calculs de la Plongée

Et maintenant nous arrivons au chapitre que la plupart préfèrent éviter, à savoir le...

**Calcul des plongées.**

Mais cela ne peut être évité, et ce n'est pas aussi compliqué que vous le pensez.

Dans le futur, vous ferez probablement la plus grande partie de vos plongées sans aucuns calculs préalables. Une plongée classique, qui n'est qu'une promenade dans les "eaux de chez vous", ne nécessite aucun calcul ! Vous connaissez votre profondeur maximale personnelle, votre temps de plongée moyen et à la fin de la plongée, vous effectuez votre palier 3 minutes à 5 mètres pour éliminer l'une ou l'autre des micro-bulles susceptibles de s'être glissées. Surveillez votre ordinateur de plongée ou votre profondimètre, déterminez à l'avance le temps de plongée sans palier à votre profondeur maximale et vérifiez votre manomètre; de sorte que les aspects les plus importants soient déjà gérés. Veillez aussi à ce que vous restiez dans le temps sans palier et que vous ayez toujours assez d'air pour la remontée et le retour en surface. Dans une telle "plongée chez vous", la profondeur maximale ne dépasse généralement pas 15 mètres, et vous disposez d'un temps sans palier d'au moins 72 minutes, temps de descente compris. Si vous plongez en combinaison humide, 72 minutes sont déjà une longue période, en fonction de la température de l'eau. D'autant que la température de l'eau diminue avec l'augmentation de la profondeur, jusqu'à environ 4 degrés Celsius. L'eau a ce qu'on appelle une anomalie de densité, et ne suit pas les règles en termes de densité en relation avec la température. En pratique, cela signifie que l'eau voit sa densité réduite et ainsi "flotte", à des températures supérieures et inférieures à 4 degrés Celsius! Par conséquent, si la température au fond d'un lac est toujours à 4 degrés Celsius, les eaux plus froides et plus chaudes remontent, cela bien sûr en fonction des courants et des turbulences. Lorsque vous plongez avec des professionnels à l'étranger, le guide ou l'instructeur prennent aussi en charge les éventuels calculs de plongée. La plongée est ensuite effectuée sous observation constante des différentes conditions de remplissage des blocs de plongée de la palanquée, sur base des affichages des manomètres respectifs,. Encore une fois, le plus faible détermine la durée de la plongée. Si la personne la plus faible atteint la réserve des 50 bar après peu de temps, elle reçoit généralement l'octopus du chef de palanquée sur lequel il peut ensuite poursuivre la plongée, afin de ne pas raccourcir inutilement la plongée des autres plongeurs. Cependant, cela dépend de chaque chef de palanquée..

Pour calculer une plongée, nous avons besoin, entre autres choses, de la quantité d'air par minute en surface, dont chacun a besoin. Bien sûr sous l'eau, cette quantité dépend pour chacun de certains facteurs, et ne peut jamais être déterminée exactement.

Si nous nous allongeons sur le canapé et regardons un "Cornwall film", le rythme respiratoire de certains va très vite diminuer, et souvent deviendra un ronflement. Dans un tel cas, on estime la consommation à environ 0,5 litre par respiration. Cette quantité d'air que nous inspirons et expirons par cycle respiratoire est appelée volume courant, dans ce cas 0,5 litre.

En changeant de station TV vers par exemple, "Tatort" ou "Shades of grey", le volume courant pourra monter à plus de 0,8 litre et, si vous vous entraînez sur un ergomètre, le volume respiratoire pourra également atteindre facilement 3 litres et plus. De plus, la fréquence respiratoire, qui est au repos de 12 à 15 respirations par minute, mais peut augmenter jusqu'à 60 respirations par minute et plus, en cas grands efforts. Vous avez probablement déjà vécu cette expérience en faisant du jogging ou du vélo.

Maintenant, ce ne sont pas des valeurs bien définies, elles sont différentes selon les individus, nous devons donc assumer une valeur moyenne. Les médecins ont fixé à 25 litres par minute. Nous consommons donc 25 litres d'air respiratoire par minute, à la surface de la mer, en abrégé **VRM** (**V**olume **R**espiratoire par **M**inute). C'est une valeur relativement sûre car la plupart des gens sont en dessous.

Selon la loi de Boyle Mariotte, nous devons également tenir compte de la pression ambiante, car à partir de 25 litres par minute de VRM à la surface de la mer, il faudra à une profondeur de 10 mètres, avec une pression ambiante deux fois plus grande, deux fois plus d'air par minute. Donc 50 litres de VMR à 10 mètres de profondeur. À 20 mètres, cela correspond à 75 litres par minute, 30 mètres à 100 litres et 40 mètres à 125 litres. Nous pouvons déjà voir que nous avons besoin de plus en plus d'air à une profondeur croissante. C'est l'une des raisons pour lesquelles nous, chez les " grandes" associations de plongée, devons nécessairement calculer la quantité d'air que nous devons emmener avec nous.

Heureusement, de tels calculs ne sont que des opérations de multiplication, c'est-à-dire la pression fois le volume, et nous avons le résultat. Incidemment, la pression multipliée par le volume s'applique également à nos équipements de plongée contenant de l'air comprimé. Donc, si nous avons un bloc de 10 litres et que nous le remplissons d'une pression de 200 bars, nous avons 10 litres à 200 bars, ce qui équivaut à 2000 barL (BarLitre).

Voici quelques calculs simples de contenu en volume pour garder en mémoire:

| Volume du bloc | x pression remplisssage | = contenu barL |
|---|---|---|
| 10 Litre | 200 bar | 2000 barL |
| 12 Litre | 200 bar | 2400 barL |
| 15 Litre | 220 bar | 3300 barL |
| 10 Litre | 180 bar | 1800 barL |
| 20 Litre | 200 bar | 4000 barL |

Et ainsi de suite, tout simplement. Le volume multiplié par la pression est égal au volume d'air en litres donc en BarLitres (barl).

Afin d'éviter la formation de microbulles (très petites bulles dans le sang), les médecins de plongée recommandent de conserver la vitesse de remontée la plus basse possible. L'excès d'azote peut ainsi être bien expiré par les poumons sans causer de dommages.

## Vitesses de remontée recommandées par les médecins de plongée

### Vitesse de remontée en fonction de la profondeur

| 40 – 20 Mètre | 18 Mètre / Minute |
|---|---|
| 20 – 10 Mètre | 10 Mètre / Minute |
| 10 – 0 Mètre | 8 Mètre / Minute |

Plus la profondeur à laquelle nous nous trouvons est grande, plus la pression ambiante à laquelle nous sommes exposés est élevée, et donc la "saturation" en azote est plus élevée. Il faut donc remonter lentement et calmement pour pouvoir expirer l'excès d'azote. Étant donné que nous avons la plus grande différence de pression de 0 à 10 mètres et vice versa, à savoir un doublement de la pression en descendant, et une réduction de moitié en remontant, nous devons donc remonter très lentement, en plus du palier de sécurité de 3 minutes à 5 mètres, Les médecins hyperbaristes disent que nous devrions respecter une vitesse de remontée maximale de 8 mètres par minute. Cependant, pour éviter les complications dans le calcul avec des chiffres après la virgule, nous arrondissons simplement ici à 10 mètres par minute, c'est ainsi une valeur réaliste.

Maintenant, nous allons effectuer des calculs un peu plus intensivement. Pas pour vous ennuyer, mais pour vous montrer un peu ce que la physique nous impose à nous plongeurs.

**12.1 Informations générales sur les calculs de plongée!**

Le **temps fond** est défini comme le temps qu'il faut pour descendre à la profondeur souhaitée, plus le temps que nous passons à cette profondeur. Donc le temps de descente plus le temps réel à la profondeur maximale. Après ce temps fond on doit se désaturer si nécessaire.

La quantité d'air nécessaire pendant le temps fond est calculée à la **profondeur maximale**.

Le **temps fond** se termine au moment où on quitte cette profondeur, c'est-à-dire avec la remontée vers la surface. Ensuite ce temps fond est utilisé dans la table.

La **Durée de remontée** est calculé à 10 mètres par minute et avec la pression à la profondeur maximale atteinte. Cela ne correspond pas aux recommandations actuelles des médecins plongeurs, mais c'est une valeur réaliste dont nous avons besoin pour les calculs. Bien sûr, vous pouvez également utiliser les valeurs recommandées en réalité, voir page 246, mais pour nos exemples de calculs, la valeur est de 10 mètres / minute. Les valeurs aprés la virgule sont toujours arrondies à la minute entière suivante, c'est-à-dire vers le côté de la sécurité. Par exemple, lors d'une plongée à 31 mètres, on prend 4 minutes comme durée de remontée.

Le **temps de la remontée** est le temps qui s'écoule entre le moment où on quitte la profondeur maximale pour remonter vers la surface plus le temps de décompression.

Le **temps de décompression** est le temps qui doit être consacré aux paliers de décompression, selon la table. Les temps de remontée et de décompression donnent ensemble le temps qui s'écoule entre la profondeur maximale et la surface. Nous appelons ce temps vers la surface le temps de la remontée. Même pour les plongées qui ne nécessitent pas de décompression, un palier de décompression de sécurité de 3 minutes à 5 mètres de profondeur est toujours prévu. Dans le cas d'une plongée nécessitant une décompression obligatoire et effectuée selon la table, ce palier de sécurité ne s'applique pas au profit de la décompression effectivement imposée par la table.

**A = Temps de la remontée, avec les paliers / décompression**

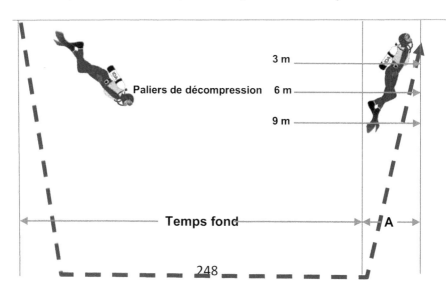

248

**Les temps de palier seront fonction de la profondeur et calculés selon les tables (Deco 2000) , et ensuite ajouté au temps de remontée.**

Exemple avec un palier de sécurité

3 Minutes à 5 Metres avec 25 Liter VRM

3 Minutes x 1,5 bar x 25 Litres (VRM) = 112,5 barl

Calcul de la consommation d'air

Un plongeur a naturellement besoin d'air pour plonger détendu. La quantité d'air dont il a besoin dépend de plusieurs facteurs.

Il faut tout d'abord mentionner le VRM (**V**olume **R**espiratoire par **M**inute). Le VRM n'est pas une valeur fixe, mais diffère individuellement d'une personne à l'autre et varie également de façon importante pour une même personne, en fonction l'effort. Cela signifie qu'un VRM de 15 à 150 litres par minute est possible, encore plus pour les athlètes professionnels sous effort maximum. Cependant, étant donné que nous devons avoir une valeur pour calculer notre plongée, nous supposons un VRM de 25 litres par minute, sauf indication contraire.

Ce VRM est valable par minute à la surface de l'eau donc à 1 bar de pression ambiante. Selon Boyle & Mariotte, nous devons multiplier le VRM par la pression ambiante respective afin d'obtenir la valeur de consommation exacte en profondeur. Cette valeur s'applique alors à une la profondeur donnée, et au VRM supposé par minute. Mais comme on plonge rarement pendant une minute, le temps en minutes doit bien sûr également être pris en compte dans le calcul.

## 12.2 Calculs d'une plongée

Un plongeur a un volume respiratoire par minute (VRM) de 25L / min. Il reste 15m à 12m de profondeur. Combien d'air a-t-il consommé sur son bloc de plongée à air comprimé

Donc:

VRM (en surface) 25 litres par minute.

Temps (temps fond) pour rester en profondeur 15 minutes.

Profondeur de 12 mètres, soit 2,2 bar de pression ambiante.

Consommation:

15 (minutes) x 25 (litres / par minute) x 2,2 (pression ambiante bar)

= 825 litres d'air ont été consommés.

Et parce que cela va si bien, un autre calcul: ☺

**Nous faisons une plongée récréative à 10 mètres pour "voir des poissons colorés" et, y compris la descente, on y reste pendant 20 minutes. Nous respectons un palier de décompression de sécurité et nous devons maintenant savoir quel volume de bloc de plongée nous devons utiliser s'il est rempli à 200 bars. Nous supposons un VRM standard de 25 litres par minute.**

**Calculs:**

**Temps fond**: 20 Minutes

**Profondeur:** 10 Mètres

**Durée de remontée:** 1 Minute (à 10 Mètres par Minute)

**Palier de décompression:** 3 Minutes à 5 Mètres

**VRM:** 25 Litres par Minute

Nous avons maintenant tous les chiffres dont nous avons besoin pour calculer la quantité d'air dont nous avons besoin pour cette plongée.

Alors maintenant, nous devons multiplier le temps fond par la pression ambiante et le VRM pour obtenir la quantité d'air dont nous aurons besoin pour cette plongée jusqu'au début de la remontée

**Temps fond en minutes x Pression ambiant max en bar x Volume Respiratoire par Minute**

**20 Minutes x 2 bar x 25 Litres / Minute = 1000 barl**

Maintenant.vient la remontée

**Durée de la remontée jusqu'à la surface x Pression ambiante max. x Volume Respiratoire par Minute**

**1 Minute x 2 bar x 25 Litres / Minute = 50 barl**

Et ensuite le palier de sécurité.

**3 Minutes x 1,5 bar (pression à 5 Mètres de prof.) x 25 Liter / Minute = 112,5 barl**

Ainsi nous aurons besoin pour notre plongée :

1000 barl pour le temps fond

50 barl pour la remontée

112,5 barl pour le palier de sécurité

**Quantité totale d'air: 1162,5 barl**

Si nous supposons que nous allons plonger avec notre équipement de plongée habituel, un bloc de 10 litres, nous arrivons au résultat suivant:

La bouteille est remplie à 200 bar et contient donc 2000 barl. Nous devons maintenant soustraire la réserve de 50 bars, car nous ne l'entamons jamais. Donc:

50 bar x 10 Liter = 500 barl

Comme de réserve, nous déduisons donc les 500 barils des 2000 barils et obtenons 1 500 barils, que nous pouvons consommer.
Pour notre plongée calculée ci-dessus, nous avons besoin de 1162,5 barl et nous disposons de 1500 barl.

Pour nous, cela signifie qu'avec le bloc de plongée standard de 10 litres, qui est rempli de 200 bars, nous pouvons effectuer cette plongée en toute sécurité. Au moins en ce qui concerne le volume d'air et si nous respectons notre plan. En plus de la réserve de 500 barils, il nous reste 337,5 barils ☺
Comme vous l'avez probablement déjà deviné, nous, les plongeurs, nous essayons si possible, de plonger de manière à ne pas avoir à respecter des paliers de décompression. Bien sûr, cela ne s'applique pas au palier de décompression de sécurité de 3 minutes à une profondeur de 5 mètres, car nous le faisons toujours, peu importe ce qui peut arriver. Il y a quelques années un de mes collègues a du faire des paliers de décompression

sous un yacht à moteur en mer Rouge, malgré qu'il y avait beaucoup de requins nageant autour de lui. Des nerf d'acier !.☺ Il a pu prendre beaucoup de superbes photos et films et a pu les montrer à tout le monde car il en était sorti complètement intact. Mais il avait eu peur, me confia-t-il. Remarque: Les plongeurs ne sont malgré tout que des humains. ☺

Voici encore un calcul

**À une profondeur de 30 m, votre jauge affiche toujours 135 bars dans votre Bloc de 12L. Combien de temps pouvez-vous rester à cette profondeur si vous avez un VRM (volume respiratoire par minute) de 22L / min (barL), et avez besoin de 170barL d'air pour la durée de la remontée et la réserve de sécurité est de 40bar?**

Donc:

Réserve de sécurité 40 bar.

30 mètres de profondeur d'eau, soit 4 bars.

Pression de 135 bars dans le bloc

Bloc de 12 litres

22 litres de VRM

Étant donné que la réserve de sécurité doit être de 40 bars et que nous ne sommes pas autorisés à l'utiliser, nous la soustrayons d'abord des 135 bars.

135 bar - 40 bar = 95 bar

Théoriquement, nous pouvons maintenant respirer de 95 bar sur le contenu de notre bloc.

Un bloc de 12 litres rempli de 95 bars a un volume d'air de

12 litres x 95 bar = 1140 barl (bar litre)

253

Cependant, comme nous avons maintenant besoin de 170 barl pour la remontée et de 99 barl pour le palier de sécurité, nous devons soustraire cela du 1140 barl. Nous restons donc en profondeur

1140 barl - 170 barl - 99 barl = 871 barl,

que nous pouvons respirer!

Nous avons donc maintenant 871 litres d'air à "respirer".

Nous sommes à 30 mètres, soit 4 bar et consommons par minute 22 litres (en surface).

Cela donne donc à une profondeur de 30 mètres

4 bar x 22 litres = 88 barl

Des 871barl, que nous sommes autorisés à respirer, nous devons maintenant compter avec 88 barl par minute

partageons et nous obtenons

871 barl divisé par 88 barl = 9,88 minutes

Cela signifie que nous pouvons encore rester 9,88 minutes, ou arrondi à 9 minutes, en profondeur.

Mais maintenant, nous allons un peu plus loin, car vous souhaitez devenir plongeur 2** et vous devez en savoir plus que le plongeur 1*. Je suis désolé, mais je n'ai pas inventé la réglementation internationale

Vous planifiez les plongées suivantes dans un lac intérieur (niveau de la mer): le matin à 10h00 une plongée à 31 mètres avec 26 minutes de temps fond, l'après-midi à 14h35 une deuxième plongée à 25 mètres avec 20 minutes de temps fond. Nous planifions une vitesse de remontée de 10 mètres par minute.

**Quels sont vos temps de remontée / paliers de décompression pour la première plongée?**

Prenons donc les tables Deco 2000 et regardons la première face; c'est la face avec un 12 en haut à gauche. ☺

Nous prenons donc le temps fond de 26 minutes et la profondeur de 31 mètres.

Il n'y a pas 31 mètres dans la table, nous lisons donc du côté de la sécurité, à savoir sous 33 mètres. Il n'y a pas non plus de 26 minutes, alors lisez ici encore du côté de la sécurité, soit 27 minutes.

On a donc les paliers de décompression suivants à 6 mètres pendant 5 minutes puis à 3 mètres pendant 10 minutes.

Comme une deuxième plongée devra être faite notons l'indice de saturation F.

Maintenant nous voulons savoir quels temps de plongée nous devrons prendre en compte pour la deuxième plongée.

Pour cela, nous avons besoin de la durée de l'intervalle de surface. L'intervalle de surface commence évidemment , comme son nom l'indique, après la première plongée.

Pendant combien de temps serons-nous sous l'eau?

26 minutes de temps fond plus 5 minutes (désaturation à 6 mètres) plus 10 minutes (désaturation à 3 mètres) plus 4 minutes de durée de remontée = 45 minutes

Nous sommes donc sortis de l'eau à 10h45 et l'intervalle de surface commence là. A 14h35, nous replongeons, donc notre intervalle de surface sera de 3h50 minutes.

IntSurf (intervalle de surface) = 3:50 heures

ISat (Indice de saturation) = F

Maintenant, nous retournons la table afin de pouvoir lire la face avec les intervalles de surface.

Le ISat est F, donc nous regardons là dans la ligne avec le F. Nous suivons cette ligne, lentement vers la droite jusqu'à ce que nous trouvions 3:50. Mais il n'y est pas. ☹ Peu importe, car il est peu probable que nous trouvions dans la table exactement l'intervalle de surface calculé. Mais nos 3h50 sont évidemment entre 3h45 et 4h30. Ensuite nous suivons la flèche pointant vers le bas entre ces deux nombres. Nous suivons maintenant cette série de chiffres avec nos yeux ou une règle ou nos doigts. Mais maintenant, nous devons savoir à quelle profondeur sera la deuxième plongée. Soit 25 mètres. Dans la colonne la plus à gauche, cependant, il y a pas de 25 mètres. Seulement 24 ou 27 mètres. Mais cela n'a pas d'importance, car nous savons que nous devons toujours lire du côté de la sécurité. Nous prenons donc le plus grand temps de pénalisation parce que nous supposons que nous avons été longtemps en profondeur et que nous devons donc décompresser plus longtemps, ce dont notre corps nous remerciera. Nous ne lisons donc pas sous 27 mètres, mais sous 24 mètres et nous obtenons une pénalisation de 16 minutes. Nous gardons maintenant ces 16 minutes à l'esprit ou nous les notons. Maintenant, nous retournons à nouveau la table et nous regardons sous la profondeur, à savoir 25 mètres. Encore une fois, il n'y a pas cette profondeur, ce serait trop beau. Alors, lisez à nouveau du côté de la sécurité, à savoir sous 27 mètres. Le temps fond pour la deuxième plongée est de 20 minutes et nous ajoutons les 16 minutes que nous avons déterminées comme pénalisation. Nous lisons donc à 36 minutes et 27 mètres de profondeur. Comme ce serait encore trop facile, il n'y a pas 36 minutes, mais nous devons lire à nouveau sous le côté de la sécurité. Donc sous 38 minutes. Et maintenant nous notons nos paliers de décompression en conséquence, à savoir 3 minutes à 6 mètres et 13 minutes à 3 mètres. Décompression totale de 16 minutes pour une plongée de 20 minutes. ☺ Bon Amusement !

Mais nous n'avons pas encore fini.

**Combien d'air avez-vous utilisé lors de votre première plongée si nous supposons que vous aviez un VMR de 15 litres/minute (à la surface de l'eau)?**

257

La profondeur est de 31 Mètres soit 4,1 bar

Le temps fond est de 26 Minutes

Calculs :

26 (Minutes) x 15 Litres (VMR) x 4,1 bar = 1599 barl

Plus la consommation pour les paliers de décompression

Décompression 5 Minutes à 6 Mètres

5 (Minutes) x 15 Litres (VMR) x 1,6 bar = 120 barl

Décompression 10 Minutes à 3 Mètres

10 (Minutes) x 15 Litres (VMR) x 1,3 bar = 195 barl

Mais la remontée elle-même prend du temps , soit 4 Minutes, si nous choisissons 10 Mètres par Minute

Donc 4 Minutes x 15 Litres (VMR) x 4,1 bar = 246 barl

En additionnant ces 4 valeurs de consommation nous obtenons la consommation totale pour cette première plongée : .

1599 barl + 120 barl + 195 barl + 246 barl = **2160 barl**

258

Vous pouvez maintenant avec ces données calculer avec certitude. le bloc d'air comprimé, que vous devez prendre pour cette plongée, Mais nous le ferons encore ensemble.

Tout d'abord, supposons que le 2160 barl puisse représenter au maximum 75% de notre volume d'air. Parce que 25%, soit 50 bar, est la réserve à laquelle nous ne pouvons pas toucher. Nous divisons donc le 2160 par 75, et nous obtenons ainsi 1% de ce que nous devons avoir dans le bloc. 2160 divisé par 75 donne 28,8. Nous multiplions ces 28,8 par 100 pour obtenir le volume total d'air cela donne 2880. Notre bloc est bien sûr rempli à une pression de 200 bars, nous divisons donc le 2880 par 200 et cela donne 14,4. Notre bloc doit donc avoir un volume d'au moins 14,4 litres. Le bi 2 X 7 est donc éliminé. Mais nous pourrions prendre une bouteille mono de 15 litres et avoir encore une réserve de 0,6 litre x 200 bar soit 120 barl.

Donc, c'est un calcul rapide. N'est ce pas beau ?

.

**Selon Boyle & Mariotte**

La loi de Boyle & Mariotte se trouve à la page 136 de ce livre.

Supposons que vous avez mis 15 litres d'air dans votre gilet et vous êtes à une profondeur de 30 mètres. Indépendamment du fait que vous remontez probablement rapidement, si vous ne vous êtes pas accroché à la rembarde d'une épave.La question est maintenant de savoir combien d'air aurez-vous dans votre gilet si, contre toutes attentes, vous parvenez à arrêter votre ascension à exactement 10 mètres de profondeur? Toute cette théorie est du pinaillage, je sais, mais il y a des gens qui aiment les calculs. Et je ne veux pas les décevoir. ☺

La formule pour cela serait:

$$P_1 \times V_1 = P_2 \times V_2$$

$P_1$= 4 bar (à 30 Mètres)

$P_2$= 2 bar (à 10 Mètres)

En introduisant les chiffres:

4bar x 5l=2bar x $V_2$

La formule est ainsi établie pour que nous obtenions V2, à savoir le volume après le processus de remontée:

$\dfrac{\text{4bar x 15l}}{\text{2bar}}$ =$V_2$   **La réponse est 30 Litres**

Et voilà. ☺

Tout d'abord, pour autant que je sache, il n'y a pas de vestes avec un tel volume, sauf dans le matériel Tec, et la soupape de surpression aura réagit pendant la remontée, et notre beau calcul devient obsolète car beaucoup d'air s'est échappé à travers la soupape

Deuxièmement, même si la veste peut contenir ce volume, personne ne réussira à s'arrêter à une profondeur de 10 mètres, avec une flottabilité de 30 litres, soit 30 kg,. Et vous n'y arriverez pas, à moins qu'il n'y ait un paquebot avec un tirant d'eau de 10 mètres au dessus de vous et que vous vous accrochiez, plus ou moins en bon état, sous sa quille.

Mais il est très intéressant de connaître la force avec laquelle votre veste, qui serait remplie, vous tirerait vers le haut, soit théoriquement 30 kg, (1 kg par litre d'air).

Prenez une ceinture de lestage avec 30 kg de plomb dessus et imaginez que ce poids vous tire hors l'eau. Et il n'y a rien pour vous retenir.

Et maintenant, il y a aussi le fait que vous êtes à une profondeur de 10 mètres et nous connaissons tous la loi de Boyle & Mariotte, qui stipule que du haut vers le bas il y a un doublement de pression , et du bas vers le haut un doublement de volume. Ainsi, si tout cela était possible, il y aurait 60 litres d'air dans votre veste lorsque vous atteindriez la surface. Tout cela en théorie, je sais.

Ce calcul est uniquement destiné à vous montrer les forces, à savoir 1 kg de flottabilité par litre d'air dans votre veste, dont vous devez "tenir compte" si vous effectuez une remontée d'urgence et gonflez votre gilet au maximum.

Notez ainsi que si vous gonflez votre veste au maximum, elle vous remontera le plus rapidement possible. Et il peut aussi être difficile d'arrêter la remontée, car l'air dans votre veste se dilate en montant, et se dilate « de plus en plus ». Si vous ne contrebalancez pas cela à temps en le dégonflant, vous sortirez d'au moins un demi-mètre hors de l'eau et, espérons-le, vous ne coulerez pas un bateau ou un navire dans le processus. 😊 Et si vous n'avez pas expiré continuellement pendant l'ascension, le bateau ne deviendra alors qu'un problème mineur.

J'aime aussi faire de tels calculs de flottabilité sans les formules, bien que ma profession soit très précise et formaliste. Oui, j'ai aussi fais des études avancées. 😊

Je pourrais aussi faire ce qui suit:

15 Litres d'air dans mon gilet.

30 mètres de profondeur donc 4 bar.

Cela signifie à la surface 4 bar fois 15 Litres

donc égal à 60 barl.

60 barl sous 2 bar à 10 Metres de profondeur donne 30 barl.

Je pourrais calculer la même chose avec les virgules, avec une calculatrice. Mais je préfère le côté plus proche de la pratique.☺

**5.4 Protection de l'environnement**

En plus des techniques dont nous avons besoin, la plongée est un sport orienté vers la nature. Vous saurez bine vite pourquoi c'est un sport lorsque vous aurez transporté tout votre équipement à 200 mètres sur la plage, pour faire une plongée sur un site de plongée très spécial. Il existe un nombre infini d'exemples de tels efforts; par conséquent, vous devez toujours être en bonne santé et en forme si vous voulez faire de la plongée.

Par exemple, vous ne pouvez pas traverser la ceinture de roseau comme un bulldozer si vous souhaitez raccourcir le trajet de 200 mètres jusqu'au site de plongée. Les oiseaux peuvent se reproduire dans les roseaux ou des animaux peuvent s'y cacher, et vous les surprendrez et les dérangerez inutilement.

Que faut-il éviter d'autre?

- Utilisez uniquement des chemins pavés et indiqués, et le

  parking si vous arrivez en voiture.

- Évitez la pollution sonore pour les résidents et la faune locale

  (pas de compresseur sur le site).

- Laissez le site de plongée tel que vous l'avez trouvé
  Ramenez vos déchets avec vous. Les ordures peuvent
  également être emportées même si elles étaient déjà là avant

- Laissez le site comme vous voulez le trouver (En espérant que vous n'êtes pas amateur de désordre et d'ordures).

- Utilisez les mises à l'eau existantes telles que les jetées, les mises à l'eau de bateau ou la plage.

- Faites attention aux sites de frai et de reproduction.

- Si vous arrivez en bateau, il y a aussi d'autres choses à respecter. Par exemple, utilisez des bouées d'ancrage et ne jetez pas l'ancre sans précautions.

- Équilibrez-vous bien pour ne pas remuer de sédiments ou endommager des coraux.

- Attachez bien votre équipement pour qu'il ne cause pas de dommages sur le sommet du récif (par exemple manomètre, octopus, dérouleur, lampe ..).

- Ne plongez pas à travers la ceinture végétale.

- Ne touchez à rien.

- Ne pèchez pas de poisson. Le harponnage est strictement interdit et est punissable.

- Ne ramassez pas de coquillages, d'escargots, etc.à la maison vous avez assez de ramasse-poussières sur l'étagère

- N'hésitez pas à participer à des campagnes de nettoyage des sites, mais ne retirez pas tout ce qui ressemble à des ordures sans réfléchir. Vérifiez d'abord si un poisson ou un crabe n'y a pas trouvé refuge.

- Adaptez le nombre de plongeurs et de plongées aux sites

- Ne plongez pas dans les lacs en période de frai des poissons.

- Lors des  plongées en hiver, faites attention de ne pas effrayer les poissons, ils pourraient en mourrir, car ils peuvent être en hibernation.

- Participez à la campagne "Take Care" de IDA, qui vise à réduire les déchets plastiques dans l'eau.

(Plus d'informations sous www.ida-worldwide.com,)

## 5.9 Rapport d'accident

Voir les pages suivantes

**Notfallkarte bei Tauchunfällen**

A l'attention du médecin prenant en charge le patient.

Le porteur de cette carte est un plongeur sportif.

Si le cas est lié à un accident de décompression (montrant souvent des symptomes neurologiques tels que : paresthésie, fourmillements, surdité, paralysie et autres symptomes moins spécifiques) un **traitement en chambre de recompression** est indispensable et même **vital!**
Traitement initial: administration d'oxygène normobare à 100 % Sauerstoff (noter les evtl. maladies antérieuresn) et de liquides (eau).

Nous vous prions d'assurer immédiatement le transport de ce patient vers une chambre de traitement hyperbare la plus proche
.
L'altitude de vol maximale pour évacuation par hélicoptère est de **300 Meter**.

Premiers soins

Interventions immédiates effectuées (cocher)

O Respiration artificielle (insufflations)    Durée:_____

O RCP                                         Durée:_____

O Administration d'oxygène                    Durée:_____

Administration de médicaments: _____

Pouls:_____ Fréquence respiratoire:_____

Pression sanguine_____

Plongée précédente:_____ Profondeur:_____ Intervalle surface:_____

Indice de saturation:_____ Profondeur planifiée:_____

Date de la plongée 'accident :_____ Début:_____    Fin:_____

Prof. Max.:_____ Temps de plongée:_____

Mélange utilisé:_____Paliers de décompression / profondeur:_____

Site de plongée:_____ Altitude au dessus du NM:_____

Remarques:_____

Page 1 de 2

265

Données personnelles du plongeur (doivent être remplies au préalable)

Nom:_____ Prénom:_____

Date de naissance:_____

Adresse_____ Canton postal_____

Ville:_____Pays:_____

Telephon_____ GCM_____

Qui appeler en cas d'urgence?:_____Telephone_____

Antécédents médicaux _____

Maladies:_____

Prise de médicaments:_____ Les quels ?:_____


**Expérience de plongée / données de plongée**

Nb total de plongées:_____ Situation de formation_____

Niveau de brevet:_____ Attest.Médic.valable jusqu'à_____

Nom et adresse du compagnom:_____

**Donnée supplémentaires importantes:**

Nom du médecin prenant en charge:_____

Documents/équipement joints_____

O Logbook   O Ordinateur   O échantion de gaz   O Bloc de plongée   O autres

**N° de téléphone d'urgences:**

DAN International Emergencies +39-06-42118685  - DAN Urgences Belgique 0800-12382

Aquamed emergency hotline: +49-(0) 70034835463

Nous vous souhaitions beaucoup de belles plongées et que vous n'aurez jamais besoin de ce rapport. Mais vous devez remplir ce formulaire autant que possible et toujours l'avoir avec vous.

Votre Team IDA

INTERNATIONAL DIVING ASSOCIATION

**Emergency card for divers / diving accidents**

**To be noted by the doctor.**

**The holder of this card is a diver.**

If there is evidence of decompression sickness (often discrete neurological symptoms such as paresthesia, tingling, numbness and paralysis, other nonspecific symptoms are possible), treatment in a hyperbaric chamber is essential, and may even be life-saving.

Initial treatment: Give Oxygen 100 % (Pay attention to pre-existing conditions)

        and a lot of fluid (water).

Please have the accident victim immediately taken to a hospital or a pressure chamber treatment center where diving accidents can be treated.

Maximum altitude for helicopter transport 300 meter.

**First aid**

Performed first aid measures (mark with a cross):

O Artificial respiration                 Duration:_____

O Cardiopulmonary resuscitation (CPR)   Duration:_____

O Oxygen administration              Duration:_____

Administration of medication:

_____

Pulse:_____

Respiratory rate:_____

Blood pressure:_____

Previous dive:_____ Depth:_____ Surface pause:_____

Repetitive group:_____

Date of the accident dive:_____ Start:_____ End:_____

Max. depth:_____ Duration of the dive:_____

Used gas mixture/Breathing gas:_____

Decompression time and depth:_____

Dive site:_____ sea level or altitude dive:_____

Special feature:_____

267

**Personal data of the diver**

Name:_____ First name:_____

Born:_____

Street:_____ Zip code:_____

City:_____ Country:_____

Telephone:_____ mobile:_____

Who should be notified:_____ Telephone:_____

Medical history:_____

Illness:_____

Will medications be taken:_____ Which drugs:_____

Dive data

Dives total:_____ Training condition:_____

Training level:_____ Diving medical examination valid:_____

Name and address of the diving partner:_____

_____

Additional information

Date and name of the doctor:_____

Attached documents or equipment:_____

O Logbook   O dive computer   O gas sample   O tank   O other

Helplines

DAN International Emergencies +39-06-42118685

aquamed emergency hotline: +49-(0) 70034835463

We wish a lot of wonderful dives and hope that you never need this document. But, for safety reasons, fill out this form with everything you know and take it always with you when you dive.

268

Donc, c'est tout pour le moment. Maintenant, vous pouvez commencer et gagner de l'expérience. Prenez soin de vous et ayez le courage d'arrêter une plongée ou de ne pas aller à l'eau si vous ne vous sentez pas bien. Un bon partenaire de plongée comprend cela. La sécurité doit toujours être respectée.

**Remerciements!**

Je voudrais en cette occasion remercier les amis suivants d'avoir lu mon travail à plusieurs reprises, afin que je puisse être sûr que je l'ai écrit de façon professionnelle et ne vous ai pas raconté des bêtises. Je remercie tout particulièrement mon amie Karen d'avoir accepté ma minutie intuitive et de l'avoir guidée dans les voies appropriées. L'attachement au détail a toujours été mon ami ou mon ennemi. ☺

Karen Fink, plongeuse IDA et modèle pour les signes manuels de plongée et la vérification du compagnon.

Horst Habermehl, président de International Diving Association - IDA -, instructeur de plongée et plongeur démineur de la marine allemande,

Thomas Freudenberg, chef du jury d'examen et de formation des instructeurs IDA (BEE), Breveté supérieur de navigation et instructeur de plongée de la marine allemande, maître plongeur et membre de l'IHK dans le domaine de la formation des plongeurs professionnels à la plongée commerciale

Thomas Burkhardt, ancien président du jury de formation et d'examen des instructeurs de IDA

Marcus Reiner, plongeur IDA et modèle pour les signes spéciaux sous-marins (le spécial) ☺.

Jens Dawurske, IDA Plongeur et cameramen qui, à ma demande, a composé les quelques petits films.

## Qu'est ce que IDA - International Diving Association?

IDA est une association internationale, qui forme des plongeurs et des Instructeurs sur le plan international selon les règles de la CMAS Germany et du R.S.T.C. (Recreational Scuba Training Council). Scuba est un acronyme de „**S**elf **C**ontained **U**nderwater **B**reathing **A**pparatus"! Ceci vient bien sûr d'Amérique, mais cette fois, ce n'est pas dû à Mr. Trump. ☺

IDA a été fondée en 1996 et tente depuis lors avec beaucoup de succès de réconcilier le "Easy Diving" américain avec "le désir européen (allemand) de la perfection" .
Ce qui, certes, ne réussi pas toujours à 100%.
Néanmoins, IDA a réussi à certifier près de 1 600 instructeurs IDA dans le monde entier, qui forment et évaluent des plongeurs conformément aux directives de IDA.
IDA est un partenaire de CMAS Germany et un membre de R.S.T.C. Ces deux organisations couvrent environ 90% du marché international de la formation à la plongée avec leurs associations membres, et vous garantissent la possibilité d'apprendre à plonger en toute sécurité et d'en profiter pendant de nombreuses années.

# 6. Annexes

Voici un extrait des **recommandation pour la constitution des palanquée** de IDA:

Seuls les binômes autorisés sont mentionnés.

## Open Water Diver ou Plongeur *

avec un

| Advanced Open Water Diver | jusqu'à 18 Mètres de profondeur |
|---|---|
| Pongeur ** | jusqu'à 20 Mètres de profondeur |
| Master Scuba Diver | jusqu'à 20 Mètres de profondeur |
| Plongeur *** et brevet plus élevé | jusqu'à 40 Mètres de profondeur |

## Junior Open Water Diver

avec un

Guide de plongée et/ou brevet plus élevé (Assistant Instructeur ou Instructeur) jusqu'à 8 Mètres de profondeur

En règle générale, conformément à la recommandation de IDA et en fonction de l'âge, les profondeurs maximales suivante sont d'application:

| 8 – 10 ans | 5 Metres |
|---|---|
| 10 – 12 ans | 8 Metres |
| 12 – 14 ans | 12 Metres |
| 14 – 16 ans | 18 Metres |
| 16 – 18 ans | 25 Metres |
| à partir 18ans | 40 Metres |

**Glossaire:**

**Règle des 50 bar**

50 bars de pression résiduelle sont gardés essentiellement comme réserve de sécurité

**40m**

Profondeur limite de plongée sportive

**Plongée sans palier**

IDA recommande les plongées sans palier

**Vitesse de descente**

max. 30 m / min.

**Palier de sécurité**

palier de 3 Minutes à 5 mètre à effectuer à chaque plongée plus profonde que 5 mètres

**Intervalle de surface**

IDA recommande un intervalle de surface de 2 heures minimum entre plongées

**Plongée successive**

IDA recommande maximum deux plongées par jour

**Ordre des plongées**

IDA recommande d'effectuer d'abord la plongée le plus profonde

**Phase de compression**

Augmentation de la pression lors de la descente

**Phase d'Isopression**

La pression reste fixe, le plongeur reste à la même profondeur

**Phase à pression variable**

Le changement de pression ambiante correspond au profil

de plongée réel

**Phase de décompression**

Diminution de la pression lors de la remontée

**Temps sans palier**

Le temps pendant lequel on peut rester à une profondeur donnée

sans être obligé d'effectuer un ou des paliers de décompression

obligatoires.

**Temps fond**

Le temps depuis le début de la descente jusqu'à la remontée

**Durée de la remontée**

Le temps , depuis le début de la remontée jusqu'à le sortie

en surface, paliers de décompression inclus

**Temps de remontée**

Le temps qui est nécessaire pour la remontée seule sans les,

paliers de décompression

**Palier de décompression**

Durée de séjour à une certaine profondeur pour donner le temps à l'azote de sortir du corps, pour s'adapter à la nouvelle pression

**Intervalle de temps en surface**

Le temps entre deux plongées

**No Fly Time**

le temps à respecter entre la dernière plongée et un vol en avion car dans la cabine de l'avion, règne une pression atmosphérique réduite, qui en cas extrême peut mener à un accident de décompression. Pour des raisons de sécurité, ce temps doit être de plus de 24 heures.

**TL**

Abréviation pour „Instructeur" (Allemand : Tauchlehrer)

**Assi**

Abréviation pour Assistant-Instructeur

**Recompression humide**

Remettre en pression un plongeur accidenté en le faisant plonger à nouveau

**Saturation**

Le processus d'absorption accrue d'azote dans le corps en raison de l'augmentation de la pression ambiante

Démonstration d'un signe sous-marin de la main très personnel,
et inhabituel sur le plan international. Le compagnon de plongée
en connaît le sens! Vous aussi? ☺

De tels signaux de la main ne sont pas rares chez les partenaires
de longue date. Rappelez-vous cependant qu'un tiers ne connaît
pas sa signification! Par conséquent, avant chaque plongée,
rappelez à nouveau les signaux sous-marins. Ceci est
recommandé en particulier pour des partenaires de plongée
nouveaux et inconnus

Déclaration sur l'état de santé (confidentiel)©by IDA

Veuillez lire attentivement tous les points et y répondre honnêtement avant de signer le formulaire. La plongée est un sport qui nécessite une bonne forme physique et une excellente santé. La bonne réponse à ces questions est nécessaire pour que votre instructeur puisse évaluer si vous êtes apte à la plongée. Avec votre signature, vous libérez de toute responsabilité en ce qui concerne votre état de santé tous les collaborateurs, ainsi que le ou les opérateurs de la base ou des écoles de plongée,. Veuillez noter que l'association de plongée IDA vous recommande de consulter un médecin avant la première plongée, celui ci examinera votre aptitude à la plongée. Ce formulaire sert uniquement à vous permettre de plonger si vous êtes en bonne santé et qu'aucun médecin qualifié n'est disponible. Si votre état de santé change pendant la durée du cours ou pendant les plongées, vous êtes tenu d'en informer immédiatement la direction du centre de plongée. Vous ne pouvez plonger que si vous êtes en bonne santé, ou par exemple, si votre diabète est bien sous contrôle. Les personnes souffrant de maladie cardiaque ou de rhume ne devraient pas plonger, de même que les personnes sous l'influence de médicaments, d'alcool ou d'autres drogues. Les personnes ayant un excès de poids ou un poids insuffisant ne sont pas adaptées à la plongée sous-marine, sauf décision contraire d'un médecin. Les erreurs en plongée ainsi que la manipulation du matériel de plongée pouvant avoir de graves conséquences sur la santé, vous êtes obligés de plonger exclusivement sous la direction et sur les conseils d'un instructeur qualifié, d'un assistant instructeur ou d'un guide de plongée. Si vous souhaitez des explications sur les questions ci-dessous, veuillez contacter votre instructeur avant de répondre aux questions

276

Veuillez répondre aux questions suivantes par écrit avec un « oui » ou un « non ». Votre instructeur décidera s'il peut vous laisser plonger. Si vous répondez «oui» à l'une des questions, vous devriez consulter un médecin avant de plonger.

**Questionnaire médical pour plongeurs**

**Pour le participant:**

Les questions suivantes devraient préciser si vous devez être examiné par un médecin avant de plonger. Si vous répondez «oui» à l'une des questions, cela ne signifie pas que vous n'êtes pas autorisé à plonger, mais votre instructeur décidera ensuite de vous laisser plonger ou de vous envoyer chez un médecin pour examen. En cas de doute, vous devriez consulter un médecin. Veuillez prendre votre temps pour répondre aux questions ci-dessous.

**Avez vous ou avez vous eu**….

Asthme, difficultés respiratoires ou problèmes respiratoires pendant l'exercice...…………………….….………………………

Rhume des foins ou
allergies …………………………………………………….………

Rhumes commun, problèmes avec les sinus ou
bronchite…………................................................……

Une maladie pulmonaire (par exemple :
Pneumothorax)…………………………………………………...

Une déchirure du poumon …………………………………………

Blessure ou opération dans la région du
thorax…………………………………….…………….………

Porter un stimulateur cardiaque …………….………………

Souffrez vous de problèmes psychiques (Paniques, peur des espaces restreints).....................................................

Souffrez vous de problèmes neurologiques...........................

Souffrez vous d'une maladie chronique............................

Souffrez vous d'épilepsie ou d'autres attaques....................

Souffrez vous souvent de migraines ou maux de tête................

Avez vous déjà perdu connaissance....................

Souffrez vous du mal des transports (Auto ou bateau)...............

Souffrez vous de diarrhée grave ou de déshydratation ...............

Avez vous déjà eu un accident de plongée (par ex.. accident de décompression)................................................

Avez-vous des problèmes en activité physique? ......................

Avez vous eu ces 6 dernières années un traumatisme crânien avec perte de connaissance...........................................

Souffrez vous de problèmes de dos récurrents .............

Etes vous (evtl.) enceinte.........................................

Prenez vous régulièrement des médicaments (prophylaxie du paludisme, „Pillule")................................................

Etes vous fumeur................................................

Etes vous sous surveillance médicale.................................

Souffrez vous d'un cholestérol élevé ......................

Avez-vous déjà eu un infarctus ou un AVC .......

Avez vous un membre de votre famille qui a eu un infarctus ou un AVC ...............................................

Souffrez vous du diabète.............................................................

Avez-vous subi une opération à la colonne vertébrale ou dans la région du dos...........................................................................

Avez-vous des problèmes dus à des interventions chirurgicales aux bras ou aux jambes ..................................................................

Souffrez vous de trouble de la tension artérielle ou prenez des médicaments pour le combattre .........................................……..

Souffrez vous de problème de circulation (Thrombose)...............

Souffrez vous d'une maladie de coeur (Angine de poitrine.).........

Avez-vous déjà subi une intervention chirurgicale au coeur ou sur un vaisseau sanguin? ..............................................................

Souffrez vous de vertiges ou d'une perte auditive ……..........……

Avez-vous déjà été opéré des sinus ?.........................................

Avez vous déjà été opéré des oreilles ?.....................…..

Avez vous des problèmes d'oreille......................................……

Avez-vous un intestin artificiel ...............................................…..

Prenez vous des suppléments pour sportifs .........................……

Avez-vous déjà été traité pour toxicomanie (y compris pour l'alcool) ............................................................................…..

Avez-vous déjà eu une déchirure des tissus mous (hernie inguinale, hernie).............................................................…………

Avez vous des problèmes sanguins...................................………

Avez vous subit une intervention chirurgicale dans les 6 dernières semaines ?............................................................................

279

Avez-vous un ulcère d'estomac aigu .................................

Avez vous des problèmes d'équilibrage..........................

Avez vous de la fièvre.................................................................

Si vous souffrez actuellement des maladies ou des affections suivantes, vous **ne** pouvez **pas** plonger. Ceci s'applique également si ces conditions ou maladies surviennent pendant le cours de plongée ou les vacances.

Problème d'équilibrage

Rhumes, inflammation des sinus

Tout type de problèmes respiratoires (Bronchite, rhume des foins)

Ulcère à l'estomac

Sous influence de n'importe quelle drogue (aussi alcool)

**Grossesse**

Fièvre

Vertiges

Nausée, vomissements, mal de mer

Diarrhée, déshydratation

Migraine ou fort mal de tête

Intervention chirurgicale de tout type effectuée au cours des 6 dernières semaines

J'ai soigneusement lu, compris et rempli la liste ci-dessus aujourd'hui...................,. Donc, je suis sûr que je suis apte à la plongée. Mon instructeur m'a dit que si j'ai répondu «oui» à l'une de ces questions, je devrais consulter un médecin ou demander un avis médical. Je déclare avoir répondu honnêtement au questionnaire et avec exactitude

Nom, prénom:............................................................

Adresse:..................................................................

Date et lieu de naissance:..........................................

Signature:................................................................

Signature d'un parent / tuteur pour les

mineurs:...................................................................

Notes: